Nara University
奈良大ブックレット
12

史料から広がる世界

奈良から世界へ　過去から未来へ

奈良大学文学部史学科 監修
木下光生　渡辺晃宏　山崎 岳　川本正知　宮本亮一　足立広明　山口育人
高橋博子　外岡慎一郎　河内将芳　井岡康時　村上紀夫　森川正則

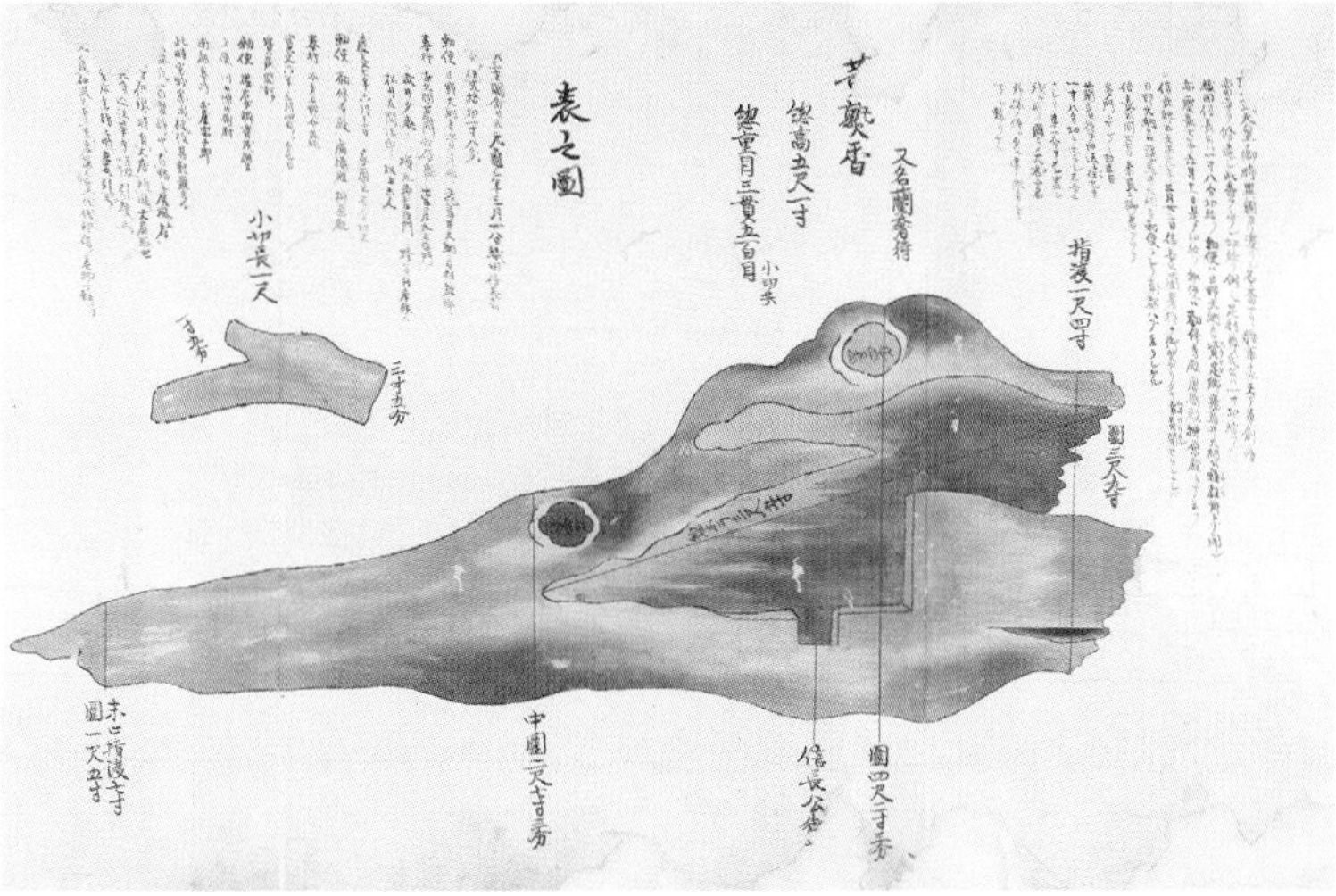

ナカニシヤ出版

もくじ

第2部　過去から未来へ

はじめに——奈良大学文学部史学科教員からの贈り物

木下　光生

史料は、歴史学の命であり、最後の砦である。その対象となるのは、紀元前のエジプト・中国でつくられたパピルス文書や木簡から、現代のコンビニでもらうちっぽけなレシートに至るまで、実に幅広い。そして、そのたった一枚の史料、たった一つの文字の裏側には、広大な歴史の世界が広がっており、その広大さを実感できたときが、歴史学の面白さを体感できたときでもある。本書のタイトル「史料から広がる世界」には、そのような意味が込められている。

日本史、世界史を問わず、どの時代、どの分野を扱おうとも、歴史学という学問が成り立つうえで絶対に必要な条件とは、次の二つである。

第一は、先行研究の成果と課題をきちんと整理することで、歴史学では「研究史整理」と呼ぶ。いかなる研究テーマにも「誰かが昔にやった研究」が必ず存在しており——したがって、百パーセントオリジナルな研究など、この世には存在しない——、今までの研究で何が明らかになっていて（先行研究の成果）、何がまだ十分解明されていないのか（先行研究の課題）を丁寧に説明する必要がある。優秀な研究とは、こうした研究史整理がきちんとなされたものを指し、逆に研究史整理の手を抜いた「研究」は、そもそも「研究」ですらなく、歴史学界から無視されて、放逐されていくのである。

ただし、いくら研究史整理を丁寧におこなって、センスのいい研究テーマを見つけ出したとしても、その課題を究明するための史料がなければ、どうしようもない。これが第二の条件である「史料の博捜」であり、先行研究の課題を踏まえた自分の独自テーマを追究するために、いかに多くの史料をかき集め、たった一点の史料からいかに多くの情報を引き出せるかに、歴史学者としての腕の見せどころがある。そして、この史料集めと分析に没頭しているときこそ、歴史学で一番楽しい時間なのであり、楽しいからこそ、史料は歴史学の命ともなるわけである。本書に収められた一三編の小論は、奈良大学文学部史学科に集う歴史学者たちが、日ごろ、どのような史料にキャッキャと心躍らされているのかを紹介し、それを通して歴史学の面白さを伝えるものとなっている。

一三の論考から放たれる「史料から広がる世界」は、実に多種多様である。史料には、紙で作られたものもあれば、木簡もある。使用言語も、ペルシア語という何となく聞いたことのあるものもあれば、バクトリア語という「何それ？」な言葉もある。手紙もあれば、地図もある。研究対象も、土地売買というありふれたものもあれば、鵺塚《ぬえづか》という「何それ？」な素材もある。皇妃も主人公になれるし、物乞いも主人公になれる。図書館や公文書館で自由に閲覧できる史料もあれば、情報公開請求にてやっと見ることのできる史料もある。そして、たった一字の漢字から、徹底的に考え抜く方法もある。

本書の示す「史料から広がる世界」は、同時に、奈良と世界のつながり――「奈良から世界へ」――と、過去と現在、未来のつながり――「過去から未来へ」――を示すものともなっている。奈良、日本、世界の多様な史料に支えられた、未来志向の歴史学を是非ご堪能いただきたい。

（奈良大学文学部史学科二〇二四年度学科主任）

第1部

奈良から世界へ

第1章

木簡学の地平

——孤高の木簡群、長屋王家の伝票木簡とその機能

渡辺《わたなべ》　晃宏《あきひろ》

一　長屋王家の米支給の伝票木簡

七二九年に謀叛の疑いで無実の最期を遂げた左大臣長屋王の宅地を解明する手がかりとなった長屋王家木簡に、伝票木簡と呼ぶ特徴的な一群がある。例を挙げよう（図1。oは穿孔を示す）。

（1）（表）内親王御所進米一升　o
（裏）受　小長谷吉備　十月十四日　書吏o
長さ一四六mm・幅二二mm・厚さ三mm

（2）（表）o柱立所祭米半□〔升カ〕　受□〔鳥カ〕万呂
（裏）o　八月九日嶋
長さ（一六四）mm・幅一六mm・厚さ二mm

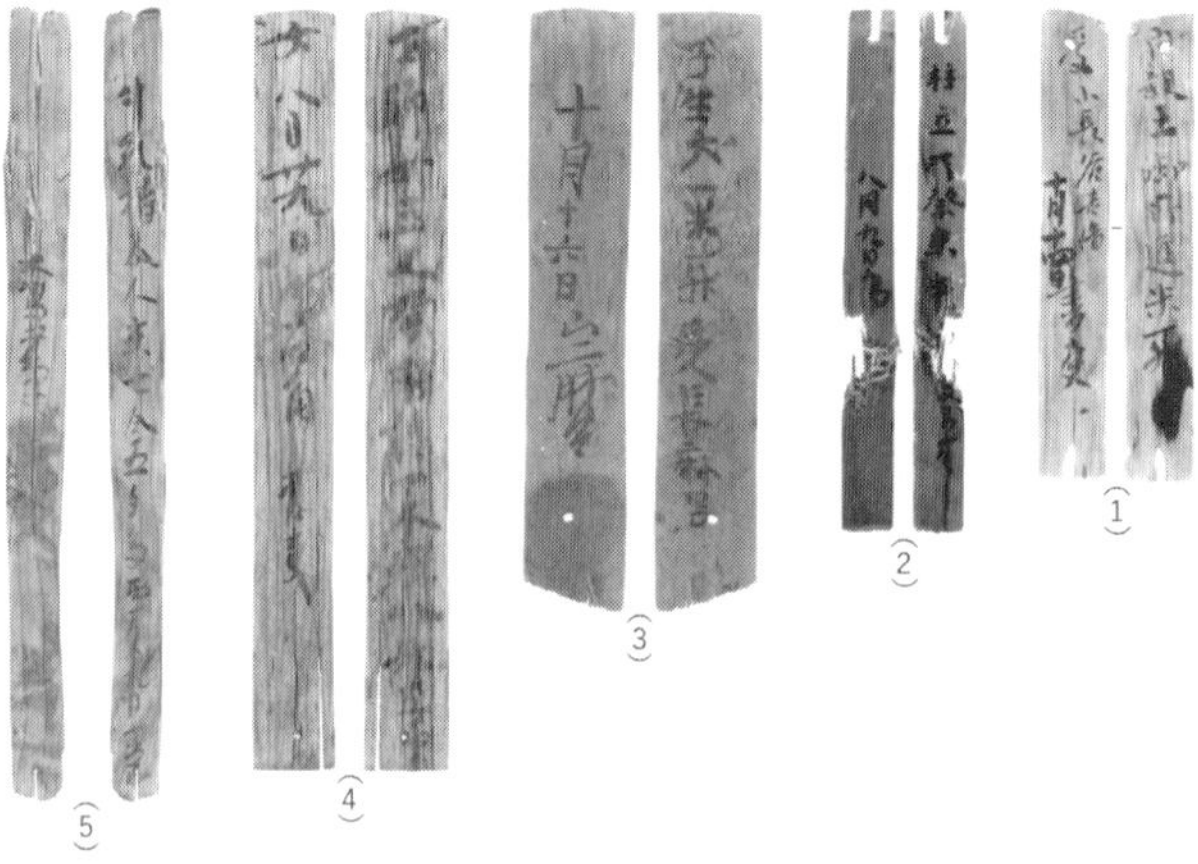

図1　長屋王家の伝票木簡の一例（奈良文化財研究所「木簡庫」による）

(3)(表)子生犬一米一升受長麻呂○
　　(裏)　十月十六日山麻呂　○
　　　　長さ一九二㎜・幅三四㎜・厚さ四㎜
(4)(表)土師女三人奈閇作一人米八升受曽○
　　(裏)女　八月廿九日　石角　書吏　○
　　　　長さ二四二㎜・幅二八㎜・厚さ二㎜
(5)(表)牛乳持参人米七合五勺受丙万呂九月十五日○
　　(裏)　大嶋書吏　○
　　　　長さ二五二㎜・幅二二㎜・厚さ六㎜

六例のみ表示したが、これらの木簡は、記載内容がきわめてパターン化したものとなっている。対応関係がわかるように整理してみよう。

	A	B	C	D	E
(1)	内親王御所	米一升	受小長谷吉備	十月十四日	書吏
(2)	柱立所祭	米半升	受鳥万呂	八月九日	嶋
(3)	子生犬一	米一升	受長麻呂	十月十六日	山麻呂
(4)	土師女三人 奈閇作一人	米八升	受曽女	八月廿九日	石角・書吏
(5)	牛乳持参人	米七合五勺	受丙万呂	九月十五日	大嶋・書吏

記載項目は全部で五つで、このうち二つめのBは米の数量、三つめのCは「受」+人名、四つめのDは日付、五つめのEは人名というように、それぞれよく似た記載になっている。

これに対し、一つめの記載のAにはさまざまなヴァリエーションがある。内親王（長屋王の正妻吉備内親王）、立柱祭用、出産した母犬、土器の成形に従事した女性、牛乳を届けに来た人、といった具合に、宅地に関わるさまざまな米の使途（多くはその被支給者）が克明に記録されている。それは主人とその家族、その家政運営のさまざまな場面で活動する職員や職人・労働者たち、さらにはペットの犬や鶴までと、多岐にわたる。食用以外では、節分の豆撒《ま》きを彷彿とさせるまじない用に撒く米の支出例もあって、これらも食料支給と同等に取り扱われている。

二　もう一つの米支給の記録木簡

さて、これらの木簡に見られる米の支給は、半升（五合）から一斗程度までで、しかも一人あたりにすれば、多くても二、三升程度である。宅地の主人だから多いということもなく、必要に即した量が支出されている。当時の一升は今の四合五勺程度、すなわち八一〇ミリリットル、六七五グラムほどなので、日々の支給の都度の記録と考えざるを得ないだろう。これらの木簡がこれまで伝票木簡と称されてきたのは、そのためである。

しかし、これらの木簡の機能は、単なる支給の記録にはとどまらないようである。というのは、日ごとの支給を記録したと思われる木簡が、伝票木簡とは別に存在したとみられるからである。削屑の事例しか存在しないが、木目方向に長い材を横置きにし、木目と直交する方向に文字を記すいわゆる横材の木簡で、伝票木簡のA・B・C・Eに相当する項目を繰り返し記している。しかし、Dの日付の部分に相当する記載がごくわずかしか残らない。このことは、まず日付を記したあと、その日に行われた支給を順次記録していったと考えると説明しやすい。すなわち、（1）から（5）までの支給が仮にいずれも九月十六日に行われたとして示すと、図2のような記載があったことが想定される。

伝票の形式の帳簿ではないものの、これこそがまさに支給記録の機能を果たした木簡といえるだろう。そうであるならば、長屋王家木簡の大半を占めるいわゆる伝票木簡には、支給記録以外の何か別の機能を想定する必要が生じることになる。

三　伝票木簡の機能を考える

そういう目で伝票木簡を見直すと、単なる支給記録としては不可解な点がいくつもあることに気付く。一つは規格性の乏しさである。支給記録として一括して保管するのであれば、同じ形・大きさの方が適しているのはいうまでもない。紐通しの孔が穿《うが》たれている場合が多いが、文字の上に穿たれている場合も多く、また木簡の下端に穿たれている場合もあって、文字の向きを揃えることなく括られていた可能性が考えられる。内容の照合を想定した保管が行われていたとは思われないのである。

二つめとして、伝票木簡の中に、Eの署名部分のみ筆跡の異なるものが散見することが挙げられる。AからDまでの事項があらかじめ記載された

九月
　一日
……
十六日
⌝内親王御所進米一升
　受小長谷吉備
　書吏
⌝柱立所祭米半升
　受鳥万呂
　嶋
⌝子生犬一米一升
　受長麻呂
　山麻呂
⌝土師女三人奈閇作一人
　米八升　受曽女
　石角書吏
⌝牛乳持参人米七合五勺
　受丙末呂
　大嶋書吏

図2　横材の米支給木簡　A－Eが16日に支給されたとした場合の想定。⌝は合点。照合の印。

木簡に、支給責任者があとから署名を加えている事例があるのである。これも支給側で作成した単なる支給記録としては説明がつかない。また、長屋王の所領の管理担当者から届けられた食料請求の文書木簡を、そのまま伝票木簡に転用している事例がある。請求書が支出明細になるのはあり得ないことではないけれども、伝票木簡が支給側で作成する支給記録であるならば、異例のものと考えざるを得ないだろう。

それでは、伝票木簡と呼んでいる木簡の真の機能はどのようなものだったと考えればよいのだろうか。ここで参考になるのが、はるか後世のもので、しかも紙の文書であるが、東大寺において平安時代に用いられた切符と呼ばれる史料群である（これらの史料の存在は、綾村宏氏のご教示による）。例えば次のようなものである。

「可下讃岐麦肆石弐斗（草名）」
米肆石手掻御会庭造工之食、又弐斗立松之直料
長治元年（一一〇四）九月一日
政所
三綱
（東大寺文書三六〇号〔『大日本古文書』東大寺文書一、東南院文書之一〕）

「可下讃岐麦（草名）」
米弐斗大仏殿最勝会供料
長治元年九月五日
政所
三綱
（東大寺文書三六一号〔『大日本古文書』東大寺文書一、東南院文書之一〕）

これらは東大寺司料米切符と名付けられた、竪切紙に書かれた文書である。記載の用途（手向山《たむけやま》八幡宮の法会転害会《てがいえ》の設え料、東大寺大仏殿の最勝会の供養料）の穀物の引き換え切符の役割を果たしたあと、支出側で貼り継いで保管したものである。

長屋王家の伝票木簡より約四百年も後の史料であるが、紙の文書であることと、受取人の指定がない点を除けば、その記載内容、保管形態などが、伝票木簡とたいへんよく似た史料群であることに気付く。むしろ、伝票木簡に、よりシステマティックな東大寺司料米切符の原初形態を見ることができるといっても過言ではない。Ｅの部分だけ筆跡の異なるものや、文書木簡を伝票木簡に転用した事例があることは、被支給者があらかじめ伝票木簡を用意したと考えれば説明がつくだろう。東大寺司料米切符の事例を参考にしつつ、長屋王家の伝票木簡の機能を考えてみたのが図３である。

被支給者Ａは、受取人Ｃを伝票作成部局に派遣し、伝票木簡を作成してもらう（その際、被支給者Ａがあらかじめ支給責任者以外の必要事項を記入した伝票木簡を用意する場合もあった）。受取人Ｃは米支給担当現場（米倉）に赴き、伝票木簡と引き換えにそこに記された量の食料を受け取る。伝票木簡は米倉から伝票作成部局に回送さ

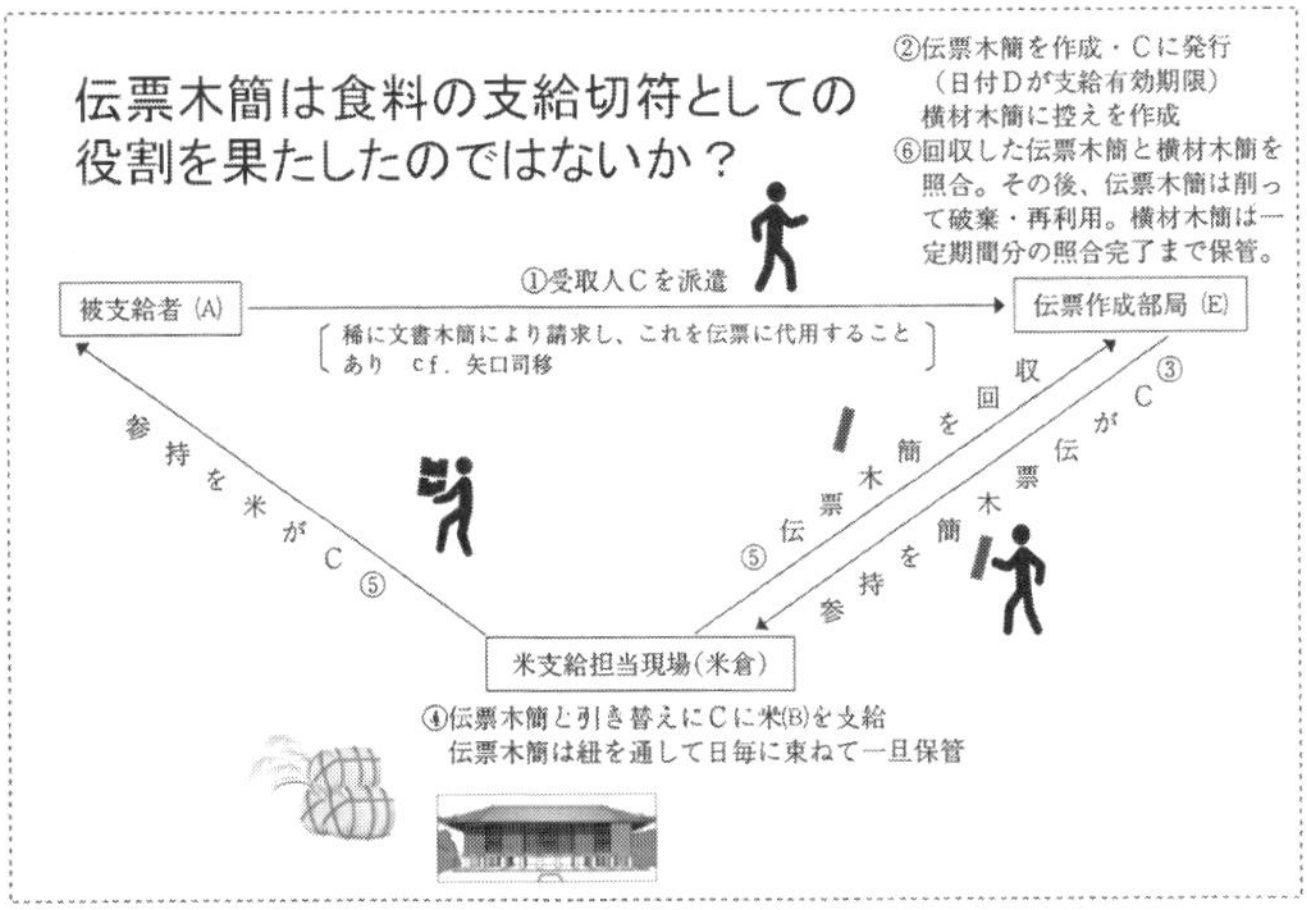

図3　伝票木簡と食料支給木簡による食料支給管理

れ、伝票木簡発給の際に控えとして作成された横材木簡（前述）との照合を終えれば、その役割を終えて新たな木簡の材として再利用されることになる。

伝票木簡の機能と一生をこのように把握するならば、丈夫で持ち運びに便利でかつ再利用が可能という、木の特性をフルに活用した使い方であることが理解できよう。規格性に乏しいことも何ら異とするに足るまい。

四　伝票木簡はどこから来たのか？

長屋王家木簡は、隋唐にならって導入する律令制運営の手段として木簡の使用が本格的に始まってからまだまもない八世紀初頭の史料である。木簡使用の最盛期はもうあと少しのちの七三〇年代といってよいが、その機能はすでに完成の域に達していた。それは木簡使用の経験の中から独自に編み出したものだったのだろうか。七世紀末の飛鳥池遺跡や石神遺跡の木簡を見る限り、答えはおそらく否である。それらと長屋王家木簡の伝票木簡との隔絶は大きい。

それではそれはどこからもたらされたのか。滅亡によって倭国に渡来した百済人のもたらした文化の影響はよくいわれるところである。しかし、日本の木簡が大きく飛躍するのは大宝令施行後であって、長屋王家木簡もその延長上にある。百済文化の影響で説明するにはタイムラグが大き過ぎるのである。

長屋王家の伝票木簡がどこからもたらされたのかは、なお今後に残された課題である。長屋王家の伝票木簡はその後どこへ行ったのか、東大寺司料米切符がその後裔である可能性は高いだろう。しかし、それがさらなる発展をみることはなかったようである。八世紀末の西大寺食堂院の井戸から見つかった木簡にも伝票木簡の類例があるが、木簡としての機能はむしろ退化しているように思われる。長屋王家木簡の伝票木簡は孤高の木簡群なのである。

〔参考文献〕

渡辺晃宏「長屋王家木簡と二つの家政機関―伝票木簡の考察から―」『奈良古代史論集』二、一九九一年
渡辺晃宏「削屑からみた長屋王家木簡」『木簡研究』二一、一九九九年

第2章

「漢」字の話

山崎《やまざき》　岳《たけし》

一　はじめに

「漢」という一字を見て、読者はまず何を思い浮かべるだろうか。古代中国の漢王朝に決まっている、と思うのはまじめな歴史研究者だけで、日本国民の平均的な発想ではないのかもしれない。昨今ではこれを「おとこ」と読んで、男らしい男、男の中の男を指すことがはやっているので、立派なひげでも生やした偉丈夫を連想する人も少なくないのではないか。

ただ、小学校でこの漢字を習うときには、「漢」は漢字の「漢」でしかなく、「おとこ」などという読みを教わることはない。それなのに、世間一般で割に広くそう読まれ、また、暴漢・悪漢・痴漢・酔漢などの「漢」は、悲しいかな、いずれも男性を意味すると解される。いったいどういうことなのか。

結論からいうと、「漢」に本来「おとこ」の意味はない。しかし、「おとこ」と読むのも間違いではない。人に歴史があるように、文字にも歴史がある。『史料から広がる世界』と銘打った本書の趣旨に従って、ここでは目についた史料を気の向くままに逍遙し、広がる風光を横目に見ながら、「漢」の何たるかをきわめていこう。標題は「漢」字の話だが、「漢字」の話でもあること、ご承知おきねがいたい。

二　「漢」とは何か

漢字のなりたちを語る際、必ず参照される書物に『説文解字』という辞書がある。西暦二世紀ごろの許慎という学者がまとめたもので、今日に伝存する最古の漢字辞典とみなされる。同書は「漢」の字を解説して、「漾《よう》のこと。東は滄浪水《そうろうすい》である。」と記す。一読してもおよそ何のことやらわかるまい。実はこの「漾」、「滄浪」、そして「漢」とは、いずれも川の名前である。かつて漢王朝の国都とされた長安の西南方、秦嶺山脈を隔てたところに漢中という町がある。この漢中盆地を流れ下り、湖北省の武漢で長江と合流するのが「漢」、すなわち漢水という川である。漢中も武漢も、もとはこの川にちなんだ地名で、漾水はその上流部、滄浪水は下流部の古名とされる。

始皇帝の死後まもなく秦帝国が滅ぶと、反乱軍の一翼をになった任侠の大親分・劉邦が、旧楚国を中心とする臨時政権のもとで漢中の王に封じられた。この漢王・劉邦が、ライバルの楚王・項羽との戦いを勝ち抜いて皇帝に即位し、国名は引き続き「大漢」と称したこと、『史記』や『漢書』でおなじみの物語である。漢王朝は短い間断をはさんで前後四百年あまり続いたことから、後世の人々に中国の帝政国家の原型とみなされた。その後も中原には数々の王朝が興亡を繰り返し、四方から異文化・異民族が流入しても、中華の地は相変わらず「漢」と呼ばれ続け、その地の人々は「漢」の末裔と認識された。漢字・漢文・漢民族などという場合の「漢」がそれであること、言うまでもないだろう。

三　漢字と漢文

「漢の字」などとはいうものの、漢字が使われはじめたのは、漢の時代よりはるかに昔のことである。体系化された漢字の字体のうち、現時点で最も古いとされるのは、今を三千年以上さかのぼる殷《いん》の甲骨文字である。

東アジア文明の起源を探る手がかりとして貴重な文献史料だが、当時の人々にとっては、祭祀や占いで得られた神託を刻み、その霊力を封じ込めた一種の呪符であったとおぼしい。それらは時間の経過と経験則の蓄積とともに次第に呪術的意義を失い、かわりに情報の記録・伝達手段として発達を遂げていった。世俗化し、使用の頻度も、用途も、範囲も、階層も、ますます拡大するにつれ、字形は簡素に整えられる一方、表現は豊かさを増していく。今から二五〇〇年ほど前の春秋戦国時代には、後世「五経」と呼ばれる最古の古典の原型が形づくられた。

今日まで受けつがれる標準的な字体・文体が確立するのが、秦始皇帝の統一事業を経過した漢代のことである。その後二千年にわたり、いささかの変化と発展はあるにしても、それらは漢の遺産を基礎として用いられ続けた。同じ漢字でも、秦で使われた篆書《てんしょ》体は一般人にはなかなか読めないが、漢の隷書《れいしょ》体なら特別な訓練を積まずとも識別できる。『史記』も『漢書』も、また『説文解字』も、漢の時代に成立した書物である。唐宋の文章家が典範と仰ぎ、清代の儒者たちが経義考証のよりどころとしたのも、漢代の古典であった。「漢」がその後長らく中国を指す呼称とされ、漢字・漢文・漢学・漢籍が、おしなべてその王朝名を冠するのも、またゆえなきことではないのである。

四　和魂漢才の思考様式

漢文は、かつて、日本・朝鮮・琉球など、中国の東隣に位置する諸国では、書面上の国際語として通用していた。外交や貿易の場においても、たとえ話し言葉は通じなくとも文字さえ知っていれば、互いに意思の疎通も、詩句の応酬も、学問的な議論も可能であり、時にはうちとけた冗談すらも言いあえたのである。また、それらの国々の文化を支えた法律制度・科学技術・宗教思想などの文明的基礎は、中国の典籍、いわゆる漢籍を通じて輸入され発展してきた。そのため、漢文はいずれの国でも公式の文字表記としての位置をしめ、自国語にまして高尚な書記言語とみなされた。

日本でも、遣隋・遣唐使の昔から、われらが奈良の朝廷をはじめとする歴代の為政者たちは、中国の学問体系を余念なく学びとった。なかには舶来の書物に入れ込むあまり、自国の文化にはてんで疎い者も少なくなかったようである。室町中期の禅僧・瑞溪周鳳《ずいけいしゅうほう》は、編著『善隣国宝記』の序を、いわゆる神代の故事から説き起こし、震旦の書、すなわち漢籍を読む者は、異国の地理や歴史には詳しくとも、自国の故事を知る者はほとんどいない、と嘆いている。禅仏教を日本の国粋と喧伝するのは近代以降の話で、このころの禅寺は、座禅の道場としてのみならず、宋・元・明代中国の先端的流行を摂取し、それを日本国内に普及させる役割を果たしていた。いわば、仏寺の看板を掲げた中国文化センターである。

また、江戸時代半ばには、本居宣長《もとおりのりなが》が著作の随所で「漢意《からごころ》」なる概念を示し、古えの心をもって道を求めるなら、まずこれを除くがよいと説く。「漢意」とは、漢学式の勧善懲悪の思考様式のことで、世人が一千年ものあいだ漢国《からくに》を尊び、漢籍《からぶみ》ばかりを読んできたため、その虚飾と欺瞞《ぎまん》は万人の心に染みついているという。倫理道徳の類をすべて中国由来とみる宣長の認識は、文明社会の基礎をなす秩序や規範といったものを、日本は自前で用意できず、常に外からの借り物でまかなってきたとでもいうようなものだ。今日の自由・民主主義の来し方行く末を考えると、笑えない話である。

五　南越北漢の歴史認識

日本からは地理的にも文化的にもやや距離があるためか、「越南」、すなわちベトナムがかつて漢字文化圏に属していたことは、一般にあまり認知されていない。かくいう筆者も大学で本格的に東洋史を学ぶまでは、ハノイを「河内」、ホーチミンを「胡志明」と書くなどという話をどこかで聞いても、宛て字にかこつけた与太話と思っていたほどである。

実際のところ、ベトナム語には、日本語や韓国語と同じく漢語由来の借用語がたいへん多い。漢越語と呼ばれるそれらの語彙は、「言語 ngôn ngữ」「文化 văn hoá」「歴史 lịch sử」「研究 nghiên cứu」などなど、もとになる漢字と対応させれば、日本人にとっては英単語などよりよほどなじみある言葉となる。ただ、ベトナムの近代化は、国際的にはフランスの保護国としてインドシナ連邦に組み入れられながら、国内的には阮朝の皇帝が君臨し続けるなかで進められたものだから、その語彙《ごい》には帝政下の古色蒼然とした趣きが少なからず残されている。たとえば、現在でも事務所を「văn phòng」、図書館を「thư viện」、博物館「bảo tàng」というが、それらが漢字で「文房」「書院」「宝蔵」と書かれることに、多少なりともゆかしさとおかしみを覚えるのは、私たちが基層となる言語文化を共有しているからにほかならない。

現在の国号「越南 Việt Nam」が成立したのは一九世紀のことで、それ以前のベトナムは、一一世紀の李聖宗以来、おおむね「大越 Đại Việt」と自称していた。「越 Việt」とは、秦漢以前の時代に長江以南の各地に暮らしていた人々だが、春秋末期に越王勾践《こうせん》が北隣の呉国を滅ぼして強盛となった。秦の滅亡後には、亡命吏人の趙佗《ちょうだ》が現広州に都して、やはり「越」を国号とし、武帝の侵攻によって滅ぼされるまで漢に対峙し続けた。中原に君臨する「漢」の諸王朝に対して、南方に並立する「越」の諸王朝、というベトナムの国家意識は、こうした諸「越」の歴史に根ざしつつ、独立自尊の発展を遂げたものである。

歴史地図を見て、ベトナムと中国の国土を比べてみれば、このような観念をいささか滑稽と見る向きもあるだろう。しかし、ベトナムが唐末から現在に至るまで紆余曲折を経ながらも独立を保ち、国力では比較にならないアメリカの軍事干渉までも排除しえた背景には、こうした自尊意識が何らかの作用を及ぼしているに違いない。「越」と「漢」の対抗関係は、地理的には遠く離れていながら、「大倭」ないし「大和」、すなわち日本が、近代以前の歴史上、何かにつけて「和」と「漢」という二元的な対照軸にこだわってきたのとパラレルな関係にあること、察しのよい読者は思い至るであろう。

六　胡貴漢賤の社会構成

「越」と「漢」、「和」と「漢」のような二項対立を、「漢」の側が何者かに対して意識するとすれば、それは歴代の北族政権に対してである。近くは清代の「満・漢」関係が想起されるが、歴史的に遡れば、南北朝期の「胡・漢」関係に行きつく。「胡」とはもともと匈奴に類する牧畜民を指す語だったが、いつしか漢地北方の諸民族の汎称となった。四世紀の五胡十六国の内乱をきっかけに「胡」と「漢」は同じ政治空間に共存しつつ混一融合し、やがて隋唐王朝を頂点とする新たな統合を実現することになる。

冒頭で言及した「漢」が「おとこ」の意味を持つのは、実にこの「胡・漢」共存の場においてであった。二十四史上、北方からの入植者である諸胡に対し、中原在来の住民を「漢」あるいは「漢子」「漢児」などと呼ぶ例は、管見の限り『北斉書』がもっとも早い。たとえば、東魏の帝位を奪って即位した北斉の始祖・文宣帝が、魏愷なる人物を青州長史の官につけようとして断られ、「何物漢子、我與官、不肯就！（何というやつだ。俺が官位をやるというのに受けないつもりか！）」と激怒したとある。その後、直接対面しての下命を固辞されると、「何慮無人作官職、苦、用此漢何為。（官職にあたる人材はいくらでもいるのだ。何ゆえ無理してこやつを用いる必要があるか。）」と言い放ったという。

また、『北斉書』にやや遅れて成立した『北史』には、やはり文宣帝が、自分を古代の暴君にたとえて諫めた大臣を流水に漬けて拷問し、それでも前言を撤回しないのを見て、「天下有如此癡漢！（天下にこのような痴れ者がいるとは！）」とあざ笑ったという話が見える。「痴漢」の最初期の用例だが、もちろん昨今にいう手癖の悪い破廉恥漢のことではなく、読んで字のごとく「あほんだら」を意味する。

このほかにも、「無官職漢、何須禮？（官職もない輩に、礼を尽くす必要がありましょうか？）」とか、「天子弟殺一漢、何所苦？（天子の弟君が一介の匹夫を殺したとて、何を気に病まれることがありましょう？）」とか、「空頭漢、合殺！（どあほうが。殺してしまえ！）」とか、「狗漢大不可耐、唯須殺卻。（犬畜生め、もう我慢ならぬ。ぶち殺してくれよう！）」などなど、「漢」へのあからさまな軽侮を示す用例が少なくない。北朝治下の華北にあっても漢文化は相応に尊ばれたが、拓跋鮮卑《たくばつせんぴ》を中核とする北人貴族の中には、とかく奢侈文弱に流れがちな漢化の趨勢に抗い、質実剛健を旨とする胡俗の墨守に努める者も少なくなかった。これらの「漢」が蔑称とも見るべき語感を帯びるのも、胡族勢要の漢地臣民に対する高踏的な視線を反映しているのかもしれない。

清代の辞書『康熙字典』で「漢」を引くと、「今人謂賤丈夫爲漢子。（当今の人は卑賤の男子をさして漢子という。）」とある。『輟耕録《てっこうろく》』という元代の随筆からの引用だが、文人が尊ばれた伝統中国の価値観では、「賤丈夫」とは肉体労働にたずさわる平民男性をいう。ただ、『水滸伝』などの大衆文学の世界では、平民出身の英雄好漢が多数登場し、少年マンガのヒーローさながらに大活躍する。「漢」と呼ばれる男たちが、もとの「賤丈夫」から面目を一新し、今日に赫々《かくかく》たる威望を獲得した要因は、そのあたりにあるのではないか。

七　おわりに

以上、漢水の流れを源頭に、東アジア諸国に広がる漢字と漢学の地平を望見しながら、江湖の好漢にいたる「漢」字の水脈をひとわたり見通してみた。きびしい紙幅の制約がありながら、かえって散漫冗長に流れたこと、もとより散漢の手すさびとご海容ねがいたい。

「漢」の字は、字面からしてひげ面のむくつけき男衆を思わせるが、和訓では「あや」などと、およそ似つかわしくない読みをあてる。上古の大和や河内に居住した中国系の渡来集団が機織りをよくしたことから来るようで、「漢人」は「あやひと」、「漢氏」は「あやうじ」と、何とも優美ではないか。

本稿は期せずして「漢」の話に終始してしまったが、女性を指す場合には「漢女」という言葉があり、文字どおり漢人の女性を指す。「仙女」などというのと同じ調子で、現実の中国女性以上にたおやかな趣きを感じるのは気のせいか。一方、現代中国には「女漢子」という新語があるようで、これは「漢子」の語感を借りて、巴御前や武則天のごとく気焔万丈な「男前」の女性を指すものらしい。

もっとも、昨今の日本では、欧米由来の新思潮を受けて、言葉の上で性別を明示することを忌避する傾向がある。「漢」と「漢女」をわざわざ呼び分ける必要はない、と思われる向きもあろう。看護師の「師」や保育士の「士」が、かつてはもっぱら男性を指す言葉であったように、いずれ「漢」もまた両性名詞となる日が来るのかもしれない。そのころには、字面から連想される満面のひげも男性だけのものという偏見（？）はなくなっていて、「漢」とは、男女を問わずひげをたくわえた豪放な面相を表す文字になっているのではないか。頓珍漢というなかれ。人の世が移ろうように、言葉もまた変わるのである。

第3章

モンゴル帝国の定住民支配

川本《かわもと》 正知《まさとも》

一　はじめに

一三世紀初頭に突如として活動を開始した遊牧民のモンゴル人は、同世紀中にイラン・ロシア・中央アジア・中国・チベットなど広大な地域の定住民を征服・支配し未曾有の大帝国を築いた。モンゴル人による定住民支配の実態はいかなるものであったか。彼らは多くの民族と文化の異なるさまざまな社会をどのように支配したのだろうか。筆者による『モンゴル帝国の軍隊と戦争』（山川出版社、二〇一三年）によってモンゴルの定住民支配の手順・方法を簡単にのべ、四節で拙著では触れられなかった現在の東トルキスタンにモンゴル人による同様な支配が行われていたことを実証する。

二　人口調査とコプチュル

アター・マリク・ジュヴァイニーは、一二六〇年に書いた『世界征服者の歴史』においてモンゴル帝国の定住民支配について次のようにのべている。

諸地域と人民が彼ら（モンゴル人）の支配下にはいると〔モンゴル人の軍制と〕まったく同じ確立された

慣行により、人口調査をおこない、全ての人を「十」(dah)、「百」(ṣad)、「千」(hezār) に分け、正税 (māl) 以外に、軍役、站役 (駅站の維持のための夫役)、諸経費、糧秣を出させた。さらにまたこれらの重荷のうえにクプチュル qupchūrī を割り当てた。(text: 25)

dah、ṣad、hezār はペルシア語の十、百、千の意味である。

イラン方面に敷設された駅站についてジュバイニーは次のようにのべている。

駅站ごとに維持費と諸経費を整え、人、駄獣、食料、飲物その他の設備を置き、それらを「万」(tūmān) ごとに割り当て、二つの「万」が一つの駅站に定められた。(text: 25)

tūmān は万を表すトルコ語であるがモンゴル語にそのまま入っている。

ここで「[軍制と同じ] 確立された慣行」とは、軍は「誰一人、定められた十人隊 (dahe)、百人隊 (ṣade)、千人隊 (hezāre) 以外の別の部隊に移ってはならない」慣行のことである。モンゴルの軍隊が、十の十人隊で百人隊、十の百人隊で千人隊、複数個の千人隊が万人隊 (tūmān) を構成する十進法による軍隊編成であったことはよく知られている。支配下の定住民も人口調査によって「十」、「百」、「千」、「万」の集団に分けて上述の「万」の駅站負担のようにそれぞれの単位ごとに税や徴発を割り当てた。「十」ごとに税が集められ、軍役、站役などの夫役は一つの「十」から何人、一つの「百」から何人と一律で平等な基準で人が集められた (川本二〇一三)。

正税に対するクプチュルとはなんであろうか。論証は省くが中国では差発とよばれた税と夫役が一体になったものである。この言葉はモンゴル語で「徴発される人または物」という意味で、それが定住民にかけられた税制用語として「軍役、站役などの夫役」または「その夫役の代替として供出される物」を意味する。モンゴル時代の中国では絹糸と銀が「十」ごとに出され、中央アジアでは銀が出されていた（川本 二〇一三）。コプチュルについて本田實信は、「軍事力を維持し、使者・駅站制度を能率的に運営するために創始せられたのがコプチュル税である。コプチュル税は自身では貧弱な経済力しか持たないモンゴル政権に独特のものである。これなくしては軍事国家としての機能を十分に果たし得ないものである。」（本田 一九九一）とのべている。

以上、モンゴル人は定住民を支配するにあたって、人口調査を行い軍隊編成と同じように人民を「十」、「百」、「千」、「万」にわけて登録し、その上に通常の税と軍事力を維持するためのコプチュルをかけたのである。

大規模な人口調査がオゴタイ・大ハン（在位：一二二九～四一）の時代に中国の河北と中央アジアにおいて行われた。モンケ・大ハン（在位：一二五一～五九）の時代にはイラン、ロシア、雲南、チベットで行われた。それらの地域にはモンゴル時代以降共通して、テュメン、ティマ、万戸、チコルという「万」を表す地域区分名称が現れている（川本 二〇一三）。

三　ウイグリスタンにおける「十」「百」「千」の存在

ウイグル人とは中央アジアのトルファン盆地を中心とする東部天山地方のオアシスのトルコ語を話す定住民である。彼らの住地はペルシア語でウイグリスタンとよばれていた。ウイグリスタンを支配したウイグル王国は早くも一二一一年にはチンギス・ハンに朝貢し服属していた。

ウイグル人は自らのトルコ語をウイグル文字で記し、多くのウイグル文書を残しているが、モンゴル時代のウイグリスタンで書かれたウイグル語世俗文書とよばれる出土文書の研究が松井太によってなされている。その文書中にトルコ語の十を意味するon、百を意味するyüzとよばれる人間集団を示す語が現れる。また、それらにトルコ語の長を表すbegやbashがついたon-begi「十」長、yüz-baš「百」長、ming-begi「千」長という言葉も現れる。さらに「十」「百」がクプチュルなどの徴税における課税単位となり、「十」長、「百」長が徴税責任を負っていたらしいことも論証されている（松井 二〇〇二）。

四　東トルキスタンにおける「十」「百」「千」「万」の存在

東トルキスタンという歴史的・地理的名称は天山山脈の南、タリム盆地の大部分を占めるタクラマカン砂漠縁辺のオアシス農耕地帯を指して用いられる。主要なオアシスとしてはタリム盆地西部のカシュガル、ヤルカンド、ホタンである。この地は一一世紀半ばにイスラム化が進展し、アラビア文字で書かれたトルコ語の最初の文学作品『クタドゥグ・ビリク』が同じ世紀に書かれたのはカシュガルであった。モンゴル時代にはこの地はトルキスタンとよばれていた。一二一九年から一二二五年にかけて行われたチンギス・ハンの中央アジア遠征直前に征服され（川本 二〇一三）、マフムード・ヤラワチ、アミール・マスウード・ベグ親子を大ハン直属の総督とするウイグリスタンからアム（ジャイフーン）川にかけてほぼ中央アジア全域を含むモンゴル帝国の属領に属していた（川本 二〇一三）。

（一）新出の文書断片上の「十」長

韓国国立中央博物館には二〇世紀初頭三度にわたって行われた「大谷探検隊」によって収集された中央アジア各地の出土品の一部が所蔵されている。その中のタリム盆地周辺のオアシス都市から出土した紙や木片や陶片に書かれた文書断片の研究が、昨年『日帝強占期資料調査報告四十三輯　国立中央博物館所蔵古文字Ⅱ：塔里木盆地文字資料』韓国国立中央博物館、二〇二二年として出版された。Section III：143-173に一三点のアラビア文字で書かれたトルコ語の文書の断片が矢島洋一によって解読されアルファベット転写と韓国語、英語、日本語の訳がつけられた。税領収書の断片に、ペルシア語で十を表すdahにトルコ語のbeg（長）がついたdah-begiという言葉が現れ（断片55,57,60,62,72,73）、年ごとに支払われたコプチュルが現れている（断片56,57,62,64,65,66,67,72,73）。断片なので十全な解読は難しいが両者が現れる一断片を矢島の訳を参考に訳してみよう。

文書断片七二（p.169）
……年分のクプチュルqubčurとして五五の銀が「十」長（dah-begi）に納付された。確認して、証書が与えられた。

年ごとに徴収される銀納のクプチュルが徴税単位の「十」の長に納められたと解釈できる。トルコ語の文章のなかにトルコ語の十onを使わずにdahというペルシア語が現れるのは、おそらくここで人口調査を行った人員がペルシア語話者であり、課税単位「十」をペルシア語でよんでいたことを表している。また、コプチュルが銀納であることもこれらの断片がモンゴル支配期初期の段階すなわち一三世紀半ばのものであることがわかる。

(二) 十六世紀におけるテュメンの存在　一三世紀の半ば以降モンゴル時代のトルキスタンはチンギス・ハンの第二子チャガタイを祖とするチャガタイ・ウルスの支配下にあった。一三四七／四八年に即位したトゥグルク・テムル・ハン以降、東西に分裂したチャガタイ・ウルスの東半分はモグール・ウルスとよばれ、その支配領域はモグーリスターンとよばれた。カシュガル、ヤルカンド、ホタンを中心とする地域はモグーリスターンに含まれていた。

モグール・ウルスの王家に属するスルタン・サイードは流浪の末タリム盆地西部のカシュガル、ヤルカンド、ホタンを征服し、そこで一五一四年にハンとして即位したが、その支配領域はタリム盆地西部に限られていた。モグール・ウルスの歴史『ターリーヘ・ラシーディー』の著者ミールザー・ハイダルはスルタン・サイード・ハン支配下のこの地の人びとについて次のような記述を残している。

全てのカシュガルとホタンの人びと（mardom）は〔四つに〕分けられる。その一つをテュメン（tümän）の人びとという。彼らは農民であり、ハンに所属し、年ごとに〔歴代の〕ハンたちに税（māl）を支払ってきた。（text: 433）

このテュメンはモンゴル時代に人口調査によって「十」「百」「千」「万」とわけられた定住民の集団の最も大きな単位の「万」である。「万」とされる集団に属する人びとはチャガタイ・ハンに所属し税を支払っていた農民たちであるとされている。この「万」がモンゴル時代と同じ機能を持っていたかどうかはわからないが、一六世紀のはじめに「万」という農耕民の人間集団を表す言葉がこの地域に存在していた。

（三）一七世紀の勅令に現れる「十」「百」「千」「万」

Kim Hodong 2011 によってモグール・ウルスのハンたちが一六〇〇年から一六七七年までに出した七通の勅令（ヤルルグ）のアルファベット・テキストと英訳が写真とともに出された。これらのヤルルグは発令者のハンの名が書かれその下に名宛て人すなわち当命令の受手たちが羅列されている。それは政権を支える王族たち、将軍たち（umarā'）、大臣たち（vuzarā'）からはじまり末端の兵士（sipāhī）、村長（kalāntar）、農民（ra'īyat）にまで及ぶ。この部分は当時の東トルキスタンの社会を構成する様々な職業、階層の存在を推定させる興味深いリストになっている。

文書一（一六〇〇年）と文書三（一六〇九年）の七行目に ming-begi, yüz-begi, on-begi、文書五（一六四〇年）

の五行目に ming-begi, yüz-begi、文書六（一六六二年）の九行目に tümän-begi, ming-begi, yüz-begi という言葉が現れる。また、文書六の十行目には Āstīn Ārtūch mawḍa'ining yüz-begi「アストゥン・アルトゥチ村の「百」長」という言葉が現れる。Āstīn Ārtūch はカシュガル市の北東三〇キロの大村である。特に名指ししていることはここでは yüz「百」という人間集団の単位が名称として残っていただけではなく機能していたかのようである。一七世紀のこれらの役職名の存在は、カシュガル・オアシス周辺の農耕地域の人びとはかつて「十」「百」「千」「万」にわけられていたことを表しているだろう。

以上、モンゴル時代トルキスタンとよばれたタリム盆地西部のオアシスにおいて、モンゴル時代に人口調査によってわけられた税と夫役を負担する「十」「百」「千」「万」という階層的人間集団が存在していたことが明らかになった。

五　おわりに

農耕民の基本的生産手段である土地と同じく、主に家畜から得られる生産物で生活している遊牧民にとって基本的財産は家畜群である。生産手段としての家畜と文化として受け継がれてきた家畜の群管理技術の上に遊牧民社会はなりたっている。

家畜群管理の基本は瞬時にしてその数を正確に把握すること、つぎにそれをいくつかの群れに分けてそれぞれの群れの規模に見合った人員をつけることである。また、どこにどのような規模の群れが存在するかを簡単に把握するためには単位数ごとに分けておかなければならない（ここには「十」が何個、「百」が何個という具合に）。またそれによって群れの管理を行うための人員数を簡単に把握することができ、また、それぞれの単位数集団から得られる生産物の量を簡単に計算することができる。モンゴル人はこの群れ管理技術を基礎とする社会編成制度を定住民社会にあてはめたのである。人数を数え「十」「百」「千」「万」に編成し、単位数ごとに必要な人員を派遣し、それぞれの単位集団から徴発可能な人間を含む物量を簡単に査定し、人的、物質的徴発をきわめて迅速に行った。遊牧民の群れ管理技術を基礎とする社会編成制度が征服したすべての定住民社会に強制された。

ここではのべられなかったが人口調査によって把握された人民はモンゴル帝国の中央政府によって王侯、諸侯に分配せられていた。多くの定住民は遠く離れたモンゴル人の王侯、諸侯の隷属民とされていた。これらの民の分配は定住民社会の封建制における分封などとはまったく関係ない戦利品の分け前の分配である。最も貴重な戦利品である人の分配を正確におこなうための人口調査だったのである。

〔引用・参考文献〕

アター・マリク・ジュヴァイニー『世界征服者の歴史』= text ʿAlāʾ al-Dīn Aṭā Malik Jūvaynī, *Tārīkh Jahāngushā*, ed. Mīrzā Muḥammad Qazwīnī, Part 1, Leyden and London, 1912

ミールザー・ムハンマド・ハイダル『ターリーヘ・ラシーディー』= text Mīrzā Muḥammad Ḥaydar Dūghlāt, *Tārīkh-i Rashīdī*, ed. ʿAbbāsqulī Ghaffārī Fard, Mīrāth-i Maktūb, Tehran, 2004

川本正知『モンゴル帝国における軍隊と戦争』山川出版社、二〇一三年

Kim Hodong, Eastern Turki Royal Degrees of the 17th Century in the Jarring Collection, James A. Millward, Shinmen Yasushi and Sugawara Jun ed., *Studies on Xinjiang Historical Sources in 17-20th Centuries*, Toyo Bunko, 2011

本田實信『モンゴル時代史研究』東京大学出版会、一九九一年

松井大「モンゴル時代ウイグリスタンの税役制度と徴税システム」松田孝一編『碑刻等史料の総合的分析によるモンゴル帝国・元朝の政治・経済システムの基礎的研究』科研費報告書（No.12410096）、二〇〇二年

第4章

トハーリスターンの歴史とバクトリア語資料

宮本《みやもと》　亮一《りょういち》

一　はじめに

奈良はシルクロードの終着点と言われることがある。正倉院宝物に見られる西方由来の要素、法隆寺伝来の香木（現・東京国立博物館所蔵）などを目の当たりにすると、奈良にはこうした表現が生まれる文化的背景が十分にあったことがよくわかる。ただ、ユーラシア大陸の各地を結ぶ交易路が、昔からこのように呼ばれていたわけではなく、シルクロードという言葉は、あくまで一九世紀になって作り出された学術用語である点には少し注意が必要だ。ちなみに、ドイツの地理学者フェルディナント・フォン・リヒトフォーフェン（一八三三〜一九〇五）が、その著書『支那（*China*）』（一八七七年出版）の中でドイツ語の Seidenstrassen、つまり「絹の道」という用語を初めて使用したと言われてきたが、最近では、リヒトフォーフェン以前にシルクロードの概念やこの用語を使用した人物が複数いて、彼をシルクロードの名付け親と考えることは間違いだということが明らかになっている。

現在も多くの国家があるように、かつてシルクロード交易が盛んだった頃にも、ユーラシア大陸の各地には独自の言語を話す人々が生活する地域が存在していた。この小文では、そうした地域の中から、筆者が専門とするトハーリスターンの歴史と言語について簡単に紹介してみたい。ほとんどの人にとって耳馴染みのないこの地域を研究することの面白さを一言で表現することは難しいが、ほとんどピースがはまっていないパズルを少しずつ埋めていくような作業や、取り組んでいる人の少ない資料を扱えることに楽しみを見出しているのかもしれない。

二　バクトリアとトハーリスターン

中央アジアを流れる大きな河川の一つにアム・ダリアがある。古くはオクサスとも呼ばれていた。この河川の流域で、おおよそ現在のアフガニスタン北部、ウズベキスタン南部、タジキスタン南部にあたる地域は、長い間一つの地理的枠組みを形成していた。この地域は、古くはアケメネス朝のダレイオス一世（在位：前五二二～前四八六年）の碑文に、バクトリアという名前で登場する。大規模な東方遠征を行い、アケメネス朝を滅ぼしたアレクサンドロス大王（在位：前三三六～三二三年）もここを通過した。

やがて、バクトリアという地名が指し示す範囲は徐々に縮小し、この地域の主要な都市バルフだけを指すようになった。バクトリアに代わって登場したのは、この地に侵入した遊牧集団の一つトハロイ（トカロイ）に由来するトハーリスターン（トハリスターン／トカリスターン）という地域名で、漢文資料には大夏《たいか》、吐火羅《とから》、覩貨邏《とから》などと表記される。この新しい地域名が使用され始めた正確な時期はわからないが、前漢の武帝（在位：前一四一～前八七年）によって派遣され、前一二八年頃にこの場所を訪れた張騫《ちょうけん》が、その報告の中で「大夏」という名称を伝えていることは一つの指標となる。

三　トハーリスターン略史

張騫は、当時中央アジアで強勢を誇っていた匈奴という遊牧国家に対抗するための作戦の一環で、トハーリスターンにいた大月氏という集団と同盟を結ぶために派遣されたのだが、その意図は達成されなかった。やがて、一世紀中頃になるとクシャーン朝がこの地に勃興した。この集団は大月氏の中から台頭したと考えられることが多いが、正確な出自はわかっていない。王朝は、四代王カニシュカ（在位：一二七頃〜一四九年頃）の治世にガンジス川中流域まで勢力を拡大し、中央アジアと南アジアにまたがる広い範囲を支配したが、三世紀前半にイランで勃興したサーサーン朝の攻撃によって衰退し、滅亡した。

トハーリスターンは、その後、サーサーン朝とユーラシア大陸北方の草原地帯から中央アジアに到来した「フン」と呼ばれる遊牧集団が攻防を繰り広げる舞台となった。サーサーン朝は、四世紀後半以降、カダグスターン（「王家の土地」という意味）と呼ばれる拠点をトハーリスターンに置き、一方、フンの中からは複数の集団が次々と頭角を現した。四世紀末から五世紀前半頃にはキダラが、次いで五世紀後半にはエフタルがトハーリスターンで台頭した。また、四世紀末頃にはアルハン、五世紀末頃にはネーザクがトハーリスターンの南側に展開した。これらの中でも、エフタルが先のクシャーン朝と同じく、拠点の一つをトハリスターンに置き、中央アジアの広範囲を支配することに成功した点は重要で、この地域が政治的な要衝であったことを示している。また、両勢力が中央アジアを支配した時代に文化の交流が活性化したことも注目に値する。

六世紀中頃になると、エフタルがサーサーン朝とトルコ系の遊牧集団突厥《とっけつ》に挟撃されて瓦解し、この地は主に突厥（後に西突厥）の支配下に置かれた。七世紀中頃に西突厥が唐に滅ぼされると、唐の勢力が及んだが、その支配はほとんど実効性を伴わないものであった。やがて、七世紀前半にアラビア半島で生まれたイスラーム教を信奉するアラブ・ムスリムの征服活動が中央アジアに及び、八世紀前半にはこの地域もおおむねその支配下に入った。

四 バクトリア語とその資料

トハーリスターンにおける支配集団の歴史を簡単に描写してみたが、このようなとても大雑把な記述の中にも、二〇年ほど前にはまったく知られていなかった事柄が多い。では、なぜそのような新しいことが明らかになったかといえば、この間に、当地域で使用されていた古い言語で書かれた資料が新たに発見・解読され、この言語に関する研究が劇的に進歩したからである。最後に、この言語に関する研究の歴史と資料について簡単に解説してみよう。

トハーリスターンの古い言葉は、長らく極少数の断片的な資料しか知られていなかった。しかし、一九五七年、クシャーン朝の神殿跡であるスルフ・コタル遺跡（アフガニスタン）から、この地域の言葉で書かれた碑文が発見され、研究の発端となった。その解読に貢献したイラン語学者ヴァルター・ブルーノ・ヘニング（一九〇八〜一九六七）は、この言語を「バクトリア語」と呼ぶことを提案し、現在まで広く受け入れられている。バクトリア語が使用されていた時期、すでにバクトリアという地域名は廃れ、この地域はトハーリスターンと呼ばれていたのだが、言語の研究が始まった段階で、現在の新疆《しんきょう》ウイグル自治区に存在したオアシス国家の一つクチャ（庫車）の古い言葉がすでに「トカラ語」と呼ばれていたため、トハラやトカラという名称を使用できず、より古い地名のバクトリアが言語名として採用されたという事情があった。ちなみに、この碑文は、クシャーン朝の五代王フヴィシュカの時代に作成されたもので、神殿の修復などについて伝えている。

バクトリア語は、インド・ヨーロッパ語族のイラン語派に属する中世語で、その東方言に分類され、広い意味で、私たちに最も馴染み深い外国語の一つである英語と同じカテゴリーに属する言語である。この言語の最大の特徴は、表記にギリシア文字を使用している点である。アレクサンドロス大王の東方遠征の結果、この地域にギリシア人が大規模に入植し、ギリシア文字・ギリシア語が使用されていたが、前二世紀頃に北方から到来した遊牧集団（先に言及したトハロイ／トカロイはこうした集団の一つ）によってギリシア人勢力が南側に追いやられると、ギリシア語の使用は徐々に廃れ、文字だけが現地の言葉を表記するために引き続き用いられた。クシャーン朝のカニシュカが発行した貨幣には、ギリシア語で銘文が刻まれたものとバクトリア語の銘文を持つものとがあり、この頃から行政上の言語としてバクトリア語が使用され始めたとみられる。

現存する最古の資料は、アフガニスタン南東部ガズニー西方のカラバーイ山（四三二〇メートル）の頂上付近で発見されたダシュテ・ナーウール碑文である。クシャーン朝の二代王ヴィマ・タクトゥが一〇四／一〇五年に残したものだが、内容は断片的で、王の名前といくつかの称号が確認できるだけである。また、二〇二二年には、同王の碑文がタジキスタン北部で発見され、バクトリア語と併記されていた未解読の文字・言語の解読案が提示されるという大きなニュースもあった。

クシャーン朝時代の碑文としては、一九九六年に発表されたラバータク碑文が最も有名で、カニシュカまでの王統、王による新紀元の創始、王の支配が及んだ地域などが記されており、歴史の解明に大きく貢献した。碑文を解読したのは、ヘニングの孫弟子にあたる当代随一のイラン語学者ニコラス・シムズ＝ウィリアムス（一九四九〜）であり、現在に至るまで、新しく発見されたバクトリア語の資料はすべて彼が解読している。

さらに最近になって、銀器に刻まれたカニシュカ時代の銘文と、六代王ヴァースデーヴァの銀製舎利容器も発見された。前者には、トハーリスターンという地域名の最古の用例が見られ、後者には、王を含む四人の人物が銘文付きで描かれている。また、ソコトラ島（イエメン）のホック洞窟で大量に見つかったインド系文字銘文の中に、一点だけ楷書体のバクトリア語銘文が報告されており、この言語を話す人々の活動範囲を示していて興味深い。

クシャーン朝時代よりも後の資料で最も重要なものは、九〇年代にマーケットに現れ、二〇〇〇年から二〇一二年にかけて解読成果が発表された一五〇点を超える世俗文書群である。文書の大部分は契約文書と手紙で、ほとんどが羊皮紙（羊などの動物の皮を利用した記録媒体）に書かれている。文書群の発見・解読が及ぼした影響はきわめて大きく、先に記したトハーリスターンの歴史の概要にも、文書によってはじめて明らかになった点が含まれている。また、それまでまったく知られていなかった同地域の在地社会の様子が記されていた点も重要で、政治史以外の分野の研究にも大きく貢献している。

ほかにも、二〇〇三年に発表されたタンゲ・サフェーダク碑文が有名で、巨大な仏教遺跡があるバーミヤーンの

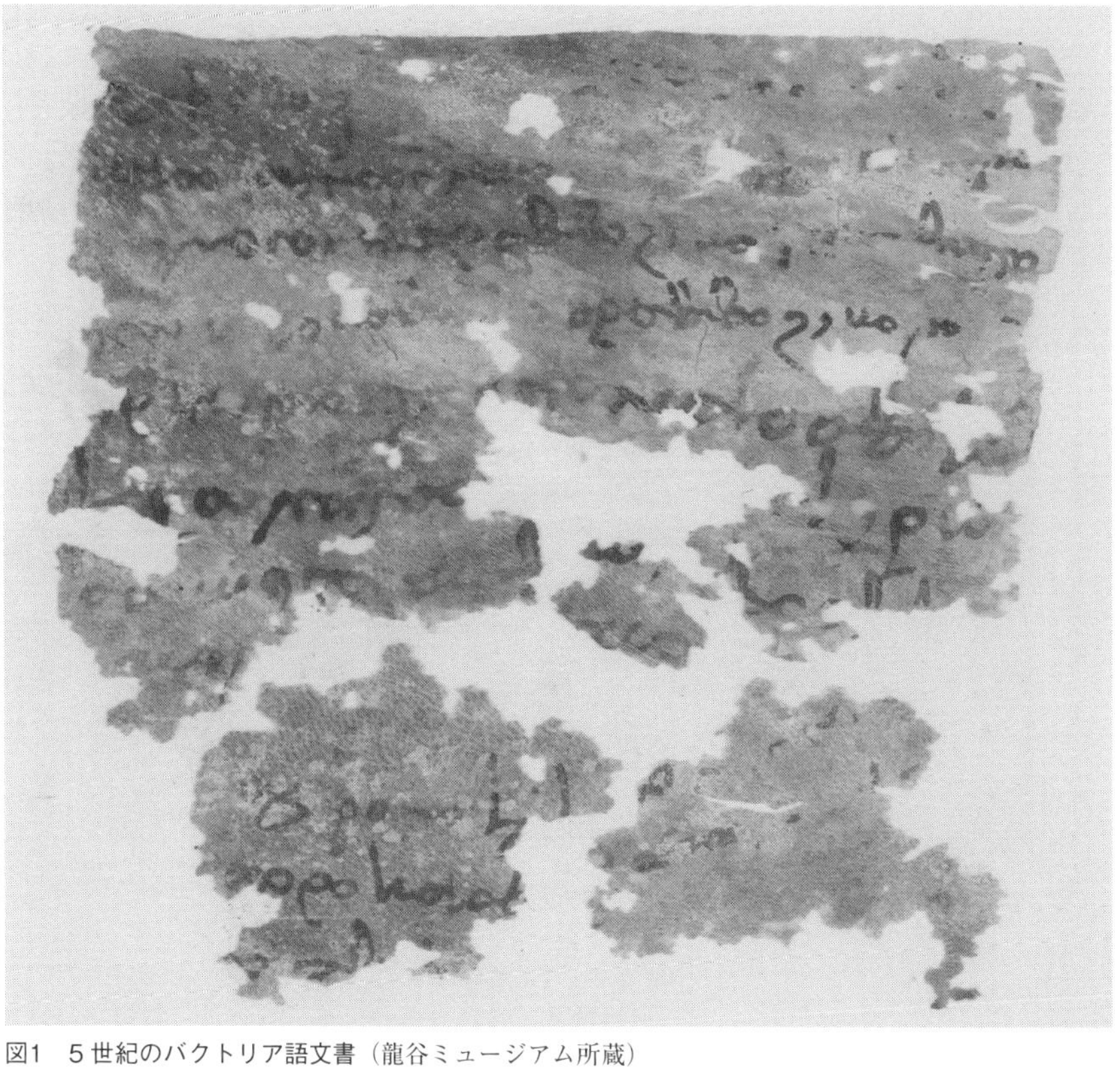

図1　5世紀のバクトリア語文書（龍谷ミュージアム所蔵）

西九〇キロほどの場所で発見された仏塔の基壇に嵌め込まれていた八世紀初頭の碑文には、先ほど言及したフンの一派アルハンの系統に属する支配者がこの地に仏塔を建立したことが記されている。最も新しい資料は、パキスタン東部のトーチ渓谷で発見された九世紀中頃の碑文で、アラビア語、サンスクリット語とのバイリンガル碑文がそれぞれ二点、バクトリア語単体の碑文が一点存在し、貯水槽の建造などについて記されている。

なお、バクトリア語の資料には宗教文献がとても少なく、十数点の仏教関係の資料のほかに、マニ教の資料が一点知られているだけである。マニ教は、三世紀にサーサーン朝の統治下で活動したマーニーという預言者によって創始された宗教で、ユーラシア大陸に広く伝播したものである。

冒頭で記したように、この小文で紹介した歴史や言語はとても知名度の低いものであるが、世の中には、誰でも知っている有名なもの以外に興味を抱く人もいるだろう。トハーリスターンの歴史やバクトリア語に少しでも関心を持たれた方は、以下に挙げた参考文献などを利用して、未知の世界への扉を開いてもらいたい。

〔参考文献〕

宮本亮一「前イスラーム時代における中央アジア勢力の南アジア進出」青山亨ほか編『アジア人物史1　神話世界と古代帝国』集英社、二〇二三年
吉田豊「バクトリア語」亀井孝ほか編『言語学大辞典』三、三省堂、一九九八年
吉田豊「バクトリア語文書研究の近況と課題」『内陸アジア言語の研究』二八、二〇一三年（https://hdl.handle.net/11094/69754）

第5章

浴場の湯よ、そなたは苦しむ者すべての力となる
――皇妃エウドキアの詩作と人生

足立《あだち》　広明《ひろあき》

一　お湯につかれば皆同じ

温泉の湯は差別をしない。だれをも等しく癒す。むしろ体や心に痛いところ、苦しいことのある人ほどその癒しは大きくなる。今から一五〇〇年ほど前、この真実に気が付いて碑文に残した人がいた。当時の東ローマ帝国の皇后エウドキアである。

現在のイスラエルとシリア、ヨルダンに挟まれた係争地ゴラン高原の南端、ガリラヤ湖の南東、イスラームの地中海進出を決定づけた決戦のあったヤルムーク河畔に温泉保養地ハマト・ガデルがある。その近辺のローマ時代の公共浴場の遺跡で、一九七九年、彼女の名前を冠した奉献碑文が発見され、つぎのような詩句が刻まれていた。

アウグスタ・エウドキアによる（浴場への賛歌）

私はこれまでの人生で数えきれない奇蹟を見てきたが
しかしどれだけ多弁を弄しても、おおクリバノスよ

価値なき人間がそなたの力を称えられようか　それでも
そなたは火のオケアノスと、また
パエアンであり湯をもたらす配分者と呼ぶにふさわしい
（中略）
インドの女性と貴婦人、レペンティオスと聖エリヤ、
アントニオス・エウスと露に濡れたガラティアと
ヒュゲイア自身、大きな浴場と小さな浴場
真珠と古いクリバノス、インドの女性、そのほかの
貴婦人、強壮な修道女性、それに総主教の泉
苦しみのなかにある人にとって、そなたの力はかぎりない
しかし、私はその技で知られた神を称えて

（Y. Hirschfeld, 1997, p.231; 訳文筆者）

クリバノスとは浴場のボイラーを擬人化した名前である。その働きは人間の賞賛できる範囲を超えるが、とりあえず火のオケアノス（大洋）でパエアン（神々の医師）と称える。つぎにこの浴場の建設ないし修復にかかわった人物や神々が列挙されている。注目すべきは、刻まれた人々の多様さである。
インド人とローマ人の女性、在地有力者とユダヤ祭司、ローマ皇帝らしき人物、キリスト教の女性修道者と男性主教と、さまざまな人種や宗教の男女が混在する。「もはやユダヤ人もギリシア人もなく、奴隷も自由な身分の者もなく、男も女もない」（『ガラテヤ』三：二八）というパウロの言葉を彷彿とさせるが、ここではイエ

スを信じる縛りもない。単数の神への賛辞で結ばれてはいるが、その神の名は記されず、一方前述のようにオケアノスやパエアン、それに医療女神ガラティアとヒュゲイアの名は当然のように刻まれている。そして、結語の前の「苦しみのなかにある人にとって、そなたの力はかぎりない」という一文、これこそ浴場のボイラー、クリバノスを称える真の結語と見てよいだろう。

いろいろな宗教でも、苦しむ人ほど救済に近いと説かれる。イエスは「医者を必要とするのは丈夫な人ではなく病人である。私が来たのは、正しい人を招くためではなく、罪人を招くためである」（『マルコによる福音書』二：一七）と語っている。親鸞聖人も、「善人なおもて往生をとぐ、いはんや悪人をや」という言葉を残している（『歎異抄』第三章冒頭）。しかし、罪人が招かれ、悪人が先に救済されるにせよ、まずは言葉を理解しなければならない。

その点、温泉の湯に言葉は必要ない。どぼんと浸かれば極楽気分。言葉を知らぬサルでも同じである。エウドキアの浴場は人間限定だったであろうが、彼女は湯が人を分け隔てしないことをよく知っていた。彼女の名は後で添えられた可能性もあるが、彼女ならこのような碑文を献じておかしくないと受け取られていたことを示している。

では、エウドキアとはどのような人物で、何を為したのだろうか。

二　ホメロスの詩句で聖書物語を紡ぐ

教会史家ソクラテスや年代記作者マララスなどの史料によると、エウドキアは四〇一年頃、アテナイで哲学者レオンティオスの娘として生まれ、豊かな古典教養を授けられて育った。幼名はアテナイス。アテナイ生まれのアテナイっ子である。四二〇年頃、父が亡くなると彼女はローマ帝国の新都コンスタンティノープルに叔母を頼って出奔した。

当時帝国西方は旧都ローマが西ゴート族に略奪されるなど急速に衰退していたが、東方の帝国は安定し、新都コンスタンティノープルも急成長していた。新都には皇帝が常駐し、キリスト教が国教となっていた。エウドキアが上洛した四二〇年には、その後千年にわたって帝国を守る大城壁が完成し、人口も増大して固有の市民感情も生まれつつあった。

ここで彼女は同い年の皇帝テオドシウス二世のお妃選びの公募に応じ、見事にその座を射止める。その美貌と教養が皇帝の姉プルケリアの目に留まったからだと書かれるが、古典教養を共有する貴族階層の仲介を指摘する声もある。いずれにせよ彼女はキリスト教帝国の妃として洗礼を受け、以後エウドキアと名乗ることになる。

その後彼女には娘が生まれ、西の帝室に嫁がせた。また西方から来た女性巡礼小メラニアの説教に感動し、彼女の後を追ってイェルサレムに巡礼し、行く先々の都市で恩恵施与を施す。しかし、四四〇年頃、彼女は皇帝の側近との不義を疑われ、宮廷追放の憂き目に遭う。今度はわずかの供回りとともにイェルサレムを再訪し、隠遁することになる。

しかし、隠遁後も平穏は訪れなかった。イェルサレムへのユダヤ人来訪を寛大に扱ったことから一部の修道士の反発を招き、邸宅を包囲された。また当時、キリストはどこまで人間で神か、母マリアは人間の母か神の母かといった神学論争が果てしなく続いていた。このなかで、彼女は四五一年のカルケドン公会議で異端扱いを受けた人々、今日のコプト正教会やシリア正教会の源となる合性論派の人々を保護し、ローマやコンスタンティノープルのカルケドン派と摩擦を生む。しかし、最終的には和解し、四六〇年頃その生涯を終えた。

「異教」伝統の町アテナイに生まれ、新都コンスタンティノープルで皇后となり、キリスト教の聖都イェルサレムに巡礼して没する。エウドキアの生涯は、多神教から一神教に移行する古代末期という時代を体現する。さらに彼女は、この時代を象徴する詩作を書き残した。それらは史料のほとんどが男性の手になる時代に、女性の声を直接伝える貴重なものである。そのなかでも Homerocentones（『ホメロス風聖書物語』）は、最も整ったもので、ギリシア黎明期の叙事詩『イリアス』と『オデュッセイア』の詩句を紡ぎ直して聖書物語とする驚くべき技法を展開する。つぎにその内容の一部を紹介する。

三　聖母の嘆き——ミケランジェロより千年早く

私は絶え間なくあなたの死を嘆く。いつも優しかったあなたを思って。
今やあなたは地の底のハデスの館へと向かい、
私を呪わしい悲嘆のなかに置き去りにする。

（Usher 版二〇六四－六六行、訳文筆者）

一行目は『イリアス』第一九歌三〇〇行、ギリシアの英雄アキレウスに捕らわれたトロイア方の神官の娘ブリセイスが、敵陣にある彼女に何かと気配りを示してくれたアキレウスの相棒パトロクロスの死を悼む場面である。続く二行はそのパトロクロスを討ち取ったトロイアの英雄ヘクトルが、今度は復讐の念に燃えるアキレウスに討ち取られたことを嘆く妻アンドロマケの言葉である（同二二歌四八二－四八三行）。エウドキアは同じ叙事詩の別々の箇所から因縁ある人々の詩句を引用し、別の人物の語る自然な流れの一文に仕上げている。
彼女が表現しているのは、神の子の亡骸を抱く聖母の嘆きである。十字架から降ろされたイエスを抱いて嘆く聖母像といえば、ミケランジェロのピエタ像が有名であろう。ピエタとは慈悲という意味で、一四世紀頃からイタリア・ルネサンスの芸術家が題材にし始めたが、聖書には聖母の嘆きの場面はない。九世紀以降のビザンツ世界で発展し、その後各地に広まったとされる。ところがエウドキアはさらに数百年前、ミケランジェロに千年以上先んじてすでにこのエピソードを完成された形で語っていたのである。

エウドキアの聖母は冥界を訪ねたオデュッセウスに亡き母が語る言葉で語り始め、ついで「ヘクトル」を「わが子」に置き換えて、アンドロマケの悲嘆で聖母のそれを表現する。そして冒頭に引いたブリセイスを短く挟み、再びアンドロマケの嘆きに戻る。

聖母は三日後、息子の遺体が収められた洞窟の岩戸の前で再び嘆く。「ああ、わが子よ。なぜ私はそなたを恐ろしい（定めの）世に出して育てたのだろう。私は最上の息子を生んだがゆえに、最も不幸な者となった。」（Usher版二一七七－七八行、訳文筆者）。第一文は同じく『イリアス』第一歌四一四行、海の女神テティスがわが子アキレウスの死すべき運命を嘆く場面、第二文は同二四歌四九三行でトロイア王プリアモスがわが子ヘクトルの死を嘆く場面からの引用である。アキレウスとヘクトルという対照的な英雄の、しかし共通する悲運を嘆く肉親の言葉で神の子を失った母の胸中が巧みに表現されていることが了解されよう。

その母の前に神の子自身が復活し、こう語る。

言ってください。なぜあなたは泣き、心の内で嘆いているのかを。
胸中に忘れがたい痛みを抱いて。私はそれが自分のことだとわかっています。
（中略）
元気を出すのです。胸の内の怖れも過ぎてはなりませぬ。

というのも、あなたには共にある運命が来ることになっています。
（中略）
その者は無事であり、またすでに来ています。
願ってもない、立派なあなたの息子が、
間違いなく近くに、愛する人々と祖国の大地から程遠くないところに。
必ずやすべて私が言うとおりに実現することになるでしょう。

（Usher 版二一九四－二二〇九、訳文筆者）

一文ずつの引用元を示す紙幅はないが、この場面ではほぼ全文『オデュッセイア』の各所から引用している。故郷イタケ島で待つ妻ペネロペイアを老人に変装したオデュッセウス自身や女神アテナ、それに彼の息子テレマコスなどが励ます台詞を総動員して、神の子が母を励ます言葉に織り直している。

聖母の嘆きと復活のモチーフから浮かび上がるもの、それはホメロスや聖書の枠を越えた女性の主体性である。『イリアス』では女性は男性戦士の戦利品にしか過ぎない。しかし、エウドキアはその戦利品で奴隷のブリセイスの言葉で聖母の嘆きを表現する。そのことで彼女の言葉は『イリアス』の世界から解き放たれ、福音書にもない新たな位置を獲得する。アンドロマケ、テティス、プリアモスは最初から名誉ある立場にあるが、それらもひとつに織り合わされて新しい聖母の言葉となる。

当時の上層市民はホメロスを含む古典文芸を教養の基礎とする一方、急成長して国教となったキリスト教福音書の内容についても熟知していた。エウドキアは、そのような聴衆を相手に自らの作品を披露し、好評を博していたのである。

四　楽園追放から救済へ――女性の旅の物語

『ホメロス風聖書物語』は、聖母の嘆きだけを描くものではない。大きな構成としては、『創世記』と福音書のミックスである。エヴァに相当する最初の女性が邪悪な蛇の誘惑に乗って世に混乱が生じる。これを救うために神の子が地上に派遣され、聖母マリアに相当する女性に受胎告知を経て宿り、世に出て人々を教えるが磔刑に遭い、しかし復活する。

話の大筋は聖書に沿っているが、表現は大きく異なる。天地創造の自然描写にギリシアの風景や神々が登場し、神の子は神々の飲み物や食物を手に取る。また、この物語ではイエスも聖母マリアもエヴァも名が記されない。地名もユダヤ地方に限定されず、普遍的な広がりを有している。ハマト・ガデルの碑文と共通する特徴である。

もうひとつ。楽園追放から救済に至る女性の物語が織り込まれている可能性である。最初の女性が、なぜか既存の都市郊外に水を汲みに来て蛇に声をかけられる。これは物語の後段、ヨハネ福音書のサマリアの女性に相当するエピソードと連動する。この女性も同じく都市の郊外に水を汲みに来て、しかし蛇ではなくオデュッセウスの言葉で語る神の子に声をかけられる。そして、これに対して女性はナウシカアの言葉で雄弁に応える。女性は蛇に誘惑されるが、自らの主体的な意志で神の子を認め、救われるのだと語っているようである。

男性である神の子も、エウドキアの作中人物であるかぎり、その分身であろう。嘆く母とは彼女自身であり、また読む人、聴く人それぞれである。そして神の子とはそれぞれの心の中にある救済可能性のことであろう。彼女がいかにしてこのような作品を書くことができたのか。伝統的な西洋古典学やキリスト教教父学の枠組みから外れ、これまで等閑視されてきたエウドキアの作品が今学界の注目を集め始めている。

ところで、温泉の湯は人を選ばないが、人は人を選んでしまう。現在は海だけが彼らも等しく容れているようだが、ガザの人々もハマト・ガデルで入湯できる日は来るのだろうか。泉下のエウドキアは現況をいかに見ているだろうか。

〔参考文献〕

◎史料・調査報告書

Hirschfeld, Y. ed., *The Roman Baths of Hammat Gader*, Jerusalem, 1997

Schembra, R., *Homerocentones*, Turnhout, 2007

Usher, M. D., *Homerocentones Eudociae Augustae*, Stuttgart, 1999

◎研究

Lefteratou, A., *The Homeric Centos: Homer and the Bible Interwoven*, Oxford（Oxford Studies in Late Antiquity）, 2023

第6章

英米「駆逐艦・基地使用交換協定」

山口《やまぐち》　育人《いくと》

一　イギリスの「生存がかかっている」

一九四〇年九月二日、イギリスとアメリカは「駆逐艦・基地使用交換協定」を結んだ。協定は、イギリスの駐米大使ロジアン卿（Lord Lothian）とアメリカの国務長官ハル（Cordell Hull）とのあいだの書簡交換というかたちをとった。アメリカは駆逐艦五〇隻をイギリスに供与し、これに対してイギリスは西大西洋・カリブ海にあるイギリスの植民地にアメリカが海軍や空軍の基地を設け、それらを管理する（期間九九年）ことに合意したのであった。ここに挙げた史料（図1）は、「駆逐艦・基地使用交換協定」に向けての英米交渉が佳境に入っていた八月二二日付の電信（原文は計三枚。ここでは一枚目の冒頭部分を翻訳したものを掲載）である。ワシントンにいるロジアンからロンドンに向けて送られたものである。ロンドン中心部から地下鉄ディストリクト線で二〇分ほどの、王立植物園があることでも有名なキュー（Kew）にあるイギリス国立公文書館（The National Archives）に所蔵されている史料である（図2）。ファイル番号CAB115/86、ファイル名「Releases of war materials from U.S. stocks: destroyers（details of destroyers-bases deal)」におさめられている。国内外問わず、一定の手続きをすれば誰でもこのファイルを閲覧できる。

この電信の注目すべき点を述べる前に、「駆逐艦・基地使用交換協定」が結ばれる経緯について整理して

Decypher. The Marquess of Lothian (Washington)
22nd August, 1940.

D. 1.50 a.m. 23rd August, 1940.

A. 9.40 a.m. 23rd August, 1940.

No. 1789.

MOST IMMEDIATE 999999999

Your telegram No. 2004.

【以下、日本語訳】

今日の午後、あなた〔外相イーデン〕からの電信が到着してからすぐにサムナー・ウェルズ〔国務次官〕に面会してきた。ウェルズが言うところによると、大統領はチャーチルからの返信をすでに受け取っており、そのうえで、イギリスに駆逐艦やその他装備を供与する唯一可能な方法は両国間で書簡を交換し、そこに供与について記載するよりほかに方法はないと考えているとのことである。大統領は、自分は以下のことをこれまで明確にしてきたと述べたという。議会による承認を経ずに駆逐艦を一度に供与するには、彼が「モラセス」と呼んできた見返りが〔アメリカに対して〕あることが条件となると。法的な規定からして、大統領が自発的な贈与として送る（「駆逐艦を」が省略されているか?）ことは「まったく不可能」であって、交換として供与する以外の選択はないというのである。大統領は次のようにも指摘した。陸軍と海軍の参謀長も〔供与される〕駆逐艦が防衛に不要であるという証明文書を出すことができない。しかし議会が定めた現在の法律のもとでは、それがなければ供与は法的に認められない。唯一、例外となるのは、合衆国の防衛に明確に資するものへの見返りとして渡される場合である……サムナー・ウェルズは、遅滞なく手が打たれなければ、これまで大統領が積み上げてきた外交政策を掘り崩すチャンスを孤立主義者や〔政権への〕反対勢力があっという間に手にしてしまうだろうと付言した。

【以下、略】

図1 ワシントン（ロジアン）からロンドンへの1940年8月22日付電信（No. 1789）

おこう。一九三九年九月、ナチス・ドイツのポーランド侵攻に対してイギリスとフランスは対独宣戦し、第二次世界大戦に突入する（もちろん三九年九月段階で世界大戦になるかどうか決まっていたわけではないが）。戦争は開戦からしばらくのあいだ「にせの戦争（the Phoney War）」と呼ばれたように西部戦線では大規模な戦闘は発生していなかった。しかし四〇年四月になってドイツはデンマーク、ノルウェー侵攻に乗り出し、五月には電撃的なベルギー侵攻作戦を開始した。さらにドイツ軍はフランス領内にまで一気になだれ込む。取り残された三〇万を超えるイギリス軍をはじめとする連合国軍兵士は大西洋岸のダンケルクからドーヴァー海峡を渡ってかろうじてイギリス本土へと撤退した。六月一〇日にはイタリアがドイツ側に立って参戦し、二二日にはフランスはドイツに休戦を申し入れ、事実上の降伏をした。こうしてイギリスは、植民地とコモンウェルス諸国を除けば単独でヒトラーのドイツと戦う局面へと追い込まれた。チェンバレンに代わり五月、首相に就任していたチャーチルに対して軍幹部は、参戦があるかどうかは別にしても、アメリカの支援がなければイギリスがドイツに勝つ見込みはないとの情勢報告を行っていた。

六月一五日、チャーチルは、イギリスの「生存がかかっている」として、アメリカ大統領ローズヴェルトに対して、駆逐艦をイギリス海軍に供与するよう求める書簡を送る。島国イギリスにとって生命線ともいえる海上補給路の確保のみならず、目前に迫っていると予想されたドイツ軍のイギリス本土上陸作戦へ対応すること

図2　イギリス国立公文書館のリーディングルーム（文書閲覧室）

を考えると、駆逐艦の補充は死活的に重要になると訴えた。とりわけドイツ海軍のUボート潜水艦にイタリア海軍のそれらが加わった以上、イギリス海軍は非常に深刻な脅威に直面していると。またローズヴェルトに対してチャーチルは次のようにも訴えた。ドイツ海軍に、イタリア、ついで降伏したフランスの海軍も加わり、さらに日本もドイツ側に立って参戦するようなことになれば、ヒトラーは圧倒的な海軍力を手中におさめることになろうと。そしてもしイギリスが敗北して、イギリス海軍までもがヒトラーの手に渡ったならば、それはアメリカ自身の安全にとっても重大な脅威になるとチャーチルは強調した。

二 難航する交渉

八月になって、ローズヴェルトからチャーチルへの返信が届く。そこでローズヴェルトは、アメリカの防衛に資するためにイギリス帝国を活用できるという条件のもとで駆逐艦供与を行う可能性を示した。具体的には、ニューファンドランド、バミューダ、バハマ、ジャマイカ、セントルシア、トリニダード、ガイアナを「西半球への攻撃の際にアメリカ海軍・空軍基地として使用する」ことが認められ、そのために訓練・演習拠点を設けるべくイギリスから必要な土地を購入できる、もしくは九九年間租借できることを、駆逐艦供与の条件として提示したのであった（図3参照）。なお、最終的に合意された協定ではアンティグア島も含まれた（ハルからロジアンへの九月二日付書簡の原文は https://www.history.navy.mil/research/library/online-reading-room/title-list-alphabetically/d/destroyers-for-bases-agreement-1941.html でも確認できる）。

ローズヴェルトからの返信を受けて英米間で、駆逐艦と基地を互いに供与する基本的な方向性に合意ができた。しかし詳細な取り決めをめぐって交渉は難航することになる。その一端を示すのがここで紹介した八月二二日付の電信である。チャーチルは、駆逐艦と引き換えに植民地を「売り渡した」と批判されるのを恐れた。

そこで、カナダを含めた英米加三か国が大西洋地域での防衛協力に合意し、その一環として、イギリスが自発的にカリブ海をはじめとする植民地にアメリカ軍の拠点を設けることを認めるというかたちでの英米合意を希望した。そして、この防衛協力におけるアメリカ側の貢献として駆逐艦をイギリスに「贈与する」という形態をチャーチルは求めたのであった。

　このチャーチルの希望について八月二二日付のロンドン宛て電信でロジアンは、駆逐艦の供与を議会承認を経ず大統領決定で実施するには、「自発的な贈与」であってはそれ

図3　概念図

は不可能で、「交換」でなければならなく、さらにそれを両国間の合意として明文化しなければならないとホワイトハウスは考えていると報告した。アメリカ防衛に資するものを得るということが明文化されない限り、米国の資産を他国に譲渡することは法的に不可能というのであった。だからといって議会承認を求めることで審議に時間を要すれば、ドイツと戦うイギリスを支援することへの反対派が勢いづくことになるとローズヴェルトは恐れていた。さらに、イギリスへの駆逐艦供与が政治争点化すれば、孤立主義を志向する根強い世論動向もあるなかで、年末に迫った彼自身の三選がかかった大統領選挙にも影響が及びかねないと危惧していたのであった。

最終的に英米両政府間の文書の交換を通じて「駆逐艦・基地使用交換協定」が成立することになった。なお、供与された駆逐艦が戦局を動かし、大戦の行方を左右するほどの意味をもったかと問われれば、それには否定的とならざるを得ない。むしろ、チャーチルのもうひとつの大きな目標であった、アメリカをイギリス支援に引き込んでゆくというより政治的効果のほうが、第一次世界大戦時に建造された旧式の駆逐艦が戦場で果たす役割よりも大きかったといえよう。アメリカを中立国から、戦闘には参加しないもののイギリス側に立たせるというチャーチルの（そしてローズヴェルトの）目標からすれば、この協定はその大きな一歩となった。

三　史料は何を教えてくれるか（一）

ここで紹介した八月二二日付電信は、アメリカ外交において議会動向と国内政治ファクターがもった影響を教えてくれる。とりわけ大統領選挙のタイミングがアメリカ外交に大きな影響をもたらす事例として、この史料はその好例となろう。こうした影響は、戦後の冷戦時代、さらに現在にまで続くアメリカ外交を取り巻く問題ともいえる。なおこのことはアメリカ政府の内部文書を読む以上に、アメリカ政府とのあいだで外交交渉を展開した相手国の文書を読むことでより実態が浮き彫りになるのかもしれない。

もうひとつこの電信が教えてくれるのは、英米関係とその両国の協力構築において、イギリスのもつ帝国という存在が影響を及ぼしたということである。戦時下のイギリスの生き残りという究極的な状況になって他国に支援を求めたチャーチルの書簡であったが、しかしそんな状況でもイギリス帝国をいかに保持するのかがチャーチルをはじめイギリス指導部にとってどれほどに大きな意味をもっていたかをこの史料は物語る。一方でローズヴェルトらにとって、イギリスへの支援は決してその帝国を守るためのものではないことを示す必要があった。もしアメリカ世論がそのようなものとして対英支援を受け止めれば、外交政策の根幹が揺らぎかねないとローズヴェルトは考えた。むしろ、イギリスの植民地をアメリカ防衛のために活用するという手法は、世論へ対英協力をアピールする際に効果的であると考えられた。英米関係にとってイギリス帝国の存在が、戦争遂行、戦後構想の議論、さらに戦後の両国関係において影響を与えた原型をこの史料は教えてくれよう。

四　史料は何を教えてくれるか（二）

最後にこの「駆逐艦・基地使用交換協定」が現在にいたるまで意外な影響をもったことを紹介したい。今回紹介した史料のなかで日本語では（廃）糖蜜とも呼ばれる「molasses（モラセス）」（日本語訳では本文の七行目。原文の電信では九行目）ということばが出てくる。これは、アメリカ軍の基地として提供されるイギリスのカリブ海植民地を指してローズヴェルトが述べたとされることばである。モラセスとはサトウキビから砂糖をつくる過程でできる副産物である。なぜローズヴェルトはこのことばを使ったのだろう。おそらく、モラセスがラム酒の原材料として使われており、そのラム酒がカリブ海地域の特産品であったということで使ったのであろう。カリブ海地域でラム酒生産が盛んになった理由のひとつには、サトウキビ・プランテーションでの砂糖生産の副産物であるモラセスを原材料としたことがある。サトウキビは歴史的にみても興味深い。そもそも原産地はカリブ海からみると地球の裏側にあるニューギニア島付近とされている。その後、インドを経由して西方に栽培が広がり、大航海時代、ポルトガル人がイスラーム商人から購入していた高い砂糖を自前で作ろうとして、まずはアゾレス諸島、そして大西洋を渡ってカリブ海や南米北部に持ち込んで栽培をはじめたという歴史がある。このサトウキビ・プランテーションの労働力として黒人奴隷が連れてこられたことは知られている通りである。そんなプランテーションにおいて、ワインやビールなどをヨーロッパから運んでくることは困難であった。そこで、現地でつくることのできるアルコール飲料として一七世紀半ばにラム酒が初めて蒸留されたとの記録がある。なお、ラム酒は過酷な労働による苦痛をひとときながら麻痺させる効果を期待され、プランテーション経営にとっては必需品になったともいわれる。

さて、一九四〇年の「駆逐艦・基地使用交換協定」によってカリブ海のイギリス領植民地にはアメリカ軍関係者が大挙して押し寄せることとなった。価格が安いという理由もあったが、バミューダのあるバーテンダーは、あっという間にラム酒の注文数がビールを上回ったと回顧している。そのラム酒をコーラで割った「ラムコーク」あるいは「キューバリブレ」という有名なカクテルがある。もちろん第二次世界大戦が始まる前からアメリカの人々には馴染みのあるカクテルであったが、そこで使われるコーラは米軍兵士たちに潤沢に与えられる人気の清涼飲料であった。蒸し暑い気候であったことも大いにあるが、そのコーラとラム酒の組み合わせはカリブ海のイギリス領にやってきた米軍兵士のあいだに瞬く間に広がったといわれる。大戦後、ラム酒がアメリカの人々のあいだに定着し、さらにそこから世界的アルコール飲料となっていった歩みにおいて、「駆逐艦・基地使用交換協定」は見逃せない役割を果たしたのかもしれない。

第7章

ビキニ被災をめぐる秘密の日米交渉

高橋《たかはし》　博子《ひろこ》

一　NARAの抜き取られた史料

アメリカでは連邦政府の公文書はNARAが管理している。NARAというのはNational Archives of Records Administrationの頭文字をとったもので、アメリカ連邦政府の機関、米公文書記録管理局のことである。NARAの機関である第二米国立公文書館（メリーランド州カレッジ・パーク市）で、核実験を担う機関である米原子力委員会の資料を調査していたとき、「JAPAN　GENERAL　一九五一－五四」というファイルから一枚の紙を見つけた（図1）。その紙にはWithdrawal Notice（抜き取りのお知らせ）と書かれている。

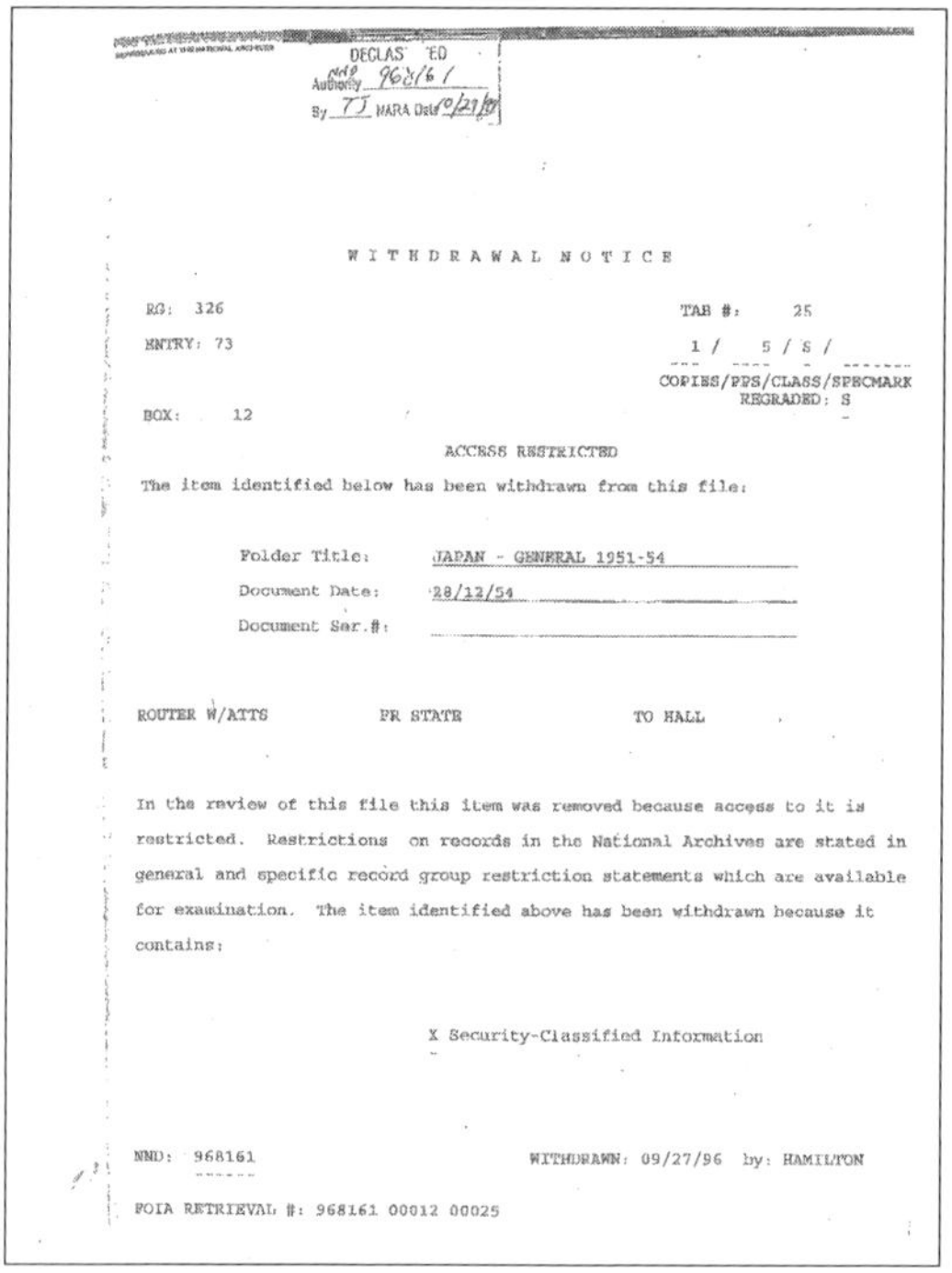
DECLASSIFIED
Authority NND 968161
By TJ NARA Date

WITHDRAWAL NOTICE

RG: 326　　TAB #: 25
ENTRY: 73　　1 / 5 / S /
COPIES/PPS/CLASS/SPECMARK
REGRADED: S
BOX: 12

ACCESS RESTRICTED

The item identified below has been withdrawn from this file:

Folder Title: JAPAN - GENERAL 1951-54
Document Date: 28/12/54
Document Ser.#:

ROUTER W/ATTS　　FR STATE　　TO HALL

In the review of this file this item was removed because access to it is restricted. Restrictions on records in the National Archives are stated in general and specific record group restriction statements which are available for examination. The item identified above has been withdrawn because it contains:

X Security-Classified Information

NND: 968161　　WITHDRAWN: 09/27/96 by: HAMILTON

FOIA RETRIEVAL #: 968161 00012 00025

図1　1954年12月28日付米原子力委員会 Withdrawal Notice

その理由は「安全保障上の理由」、文書の日付は一九五四年一二月二八日と書かれていた。一九五四年三月一日のマーシャル諸島ビキニ環礁で実施された米水爆実験によって引き起こされた放射性降下物（フォールアウト）によって、第五福竜丸をはじめとする漁船員、マーシャル諸島の住民、そして米兵に多くの被災者が生み出され、漁獲物などが汚染された。しかし汚染された魚類の調査は年内に打ち切られ、一九五五年一月四日、日米政府間で政治決着される。この抜き取られた文書はその直前のものなので、政治決着に関連する文書ではないかと予測した。

二　FOIA（情報自由法）で情報公開請求

アメリカにはFOIA（フォイア）という制度がある。FOIA（Freedom of Information Act）は一九六六年七月四日（米独立記念日）にジョンソン大統領が署名し、翌年一九六七年七月四日に施行されたアメリカ連邦政府情報自由法のことで、基本的にいかなる人にも、行政機関文書にある政府の情報にアクセスする法定の権利を付与するとしている。

二〇一四年、アメリカ在住の知人の協力を得て、この抜き取られた文書の情報公開請求をした。すると出てきたのが、ビキニ水爆被災当時在日アメリカ大使であったアリソンが、一九五四年一二月に鳩山政権発足後、外務大臣となった重光葵と一二月二七日に会談した内容について、国務省に報告する文書だった。同報告では重光外相からアリソン大使に渡されたメモの内容が書かれ、早急に解決すべき問題として、第一にビキニ補償問題が挙げられていた。さらにそのほかの案件とともに、「六　大規模な戦犯の解放と仮出所　この問題を解決することで、米国政府の役割に対して日本の人々に好意的な態度をとらせ、ほかの政府の関心事である行動の面で、私たちの関係改善に向けて実質的に貢献するであろう」と書かれていた。日本側が同会談で戦犯解放問題も米側に請求していたことが明らかになったのである。まさしく日米決着に関連する日米密談資料である。情報公開請求するまでアメリカ政府は国立公文書館に国家安全保障上の理由によって隠し続けたことになる。それでは日本政府はどうだったのであろうか。

三　日本政府のビキニ水爆被災資料の隠匿・不開示

二〇一四年八月六日、ＮＨＫスペシャル「水爆実験　六〇年目の真実～ヒロシマが迫る〝埋もれた被ばく〟～」が放送され、米国立公文書館でＮＨＫが入手した、第五福竜丸以外の被災船の航路や詳細な情報に基づいた新たな事実が浮き彫りになった。

第五福竜丸以外の被災船の乗組員を「幡多高校生ゼミナール」（一九八三年設立）として高校生とともに調査してきた山下正寿太平洋核被災支援センター事務局長らは、ビキニ被災関連文書の日本政府への情報公開請求を行った。紙智子参院議員や福島瑞穂参院議員らによって国会でも追及された。その結果、倉庫に隠されていたビキニ水爆被災関連文書が厚生省からも外務省からも農林水産省からも続々と出てきた。第五福竜丸以外にも被災船があり、関連資料を保有しながら、国側は隠し続けてきたのである。高知県の元漁船員と遺族らは、第五福竜丸以外の漁船の被曝《ひばく》事実や調査結果を国が隠し続けたとして、日本政府に国賠訴訟を起こした。

しかし、二〇一八年七月二〇日、高知地裁では「原告らの請求をいずれも棄却する」とする判決が下された。同裁判では資料の隠匿・不開示の問題が重要な争点となっていた。「本件被ばくの事実及び本件資料（以下「本件資料等」という。）を隠匿・不開示に関する違法行為（本件資料等の隠匿・不開示の違法行為）について　ア　被告が本件資料等を隠匿したか（争点一―一）。イ　被告の本件資料等を開示する法的作為義務の有無（争点一―二）」と「本件資料等の隠匿・不開示、調査・支援等施策不実施の違法行為に基づく損害」についてである。

判決文では、国側の隠匿・不開示行為について、「開示された資料の内容自体は、外交関係を揺るがすような極めて衝撃的なものであったともいい難い。かえって、日米合意の裏にあった思惑を推認させる資料に関しては、平成三年の時点で外務省が自主的に開示しているところである」とし、「こうした事情を考慮すれば、日米合意の当時に互いの政治的思惑があり、本件被ばくによる世論の沸騰を鎮静化しようと目論んだことが窺われるとしても、そのために情報の隠匿方針が決定され現在に至るまでその意思が貫徹してきたとまで認めるのは困難である」と述べていた。日米関係を揺るがすような、しかも被災船乗組員の命に関わるような史料を日米政府は保有し、隠してきたにもかかわらず、このような判決が下された。

四　外務省への情報公開請求

高知地裁の判決文を読んだとき、私は、はたして外務省は当該資料を自主的に充分に開示していたのであろうか、被告は本当に史料を隠匿していないのか、と疑問に思った。というのは、米国立公文書館から開示された一九五四年一二月二七日のアリソン大使と重光外相の会談文書が、外務省が一九九一年に開示した資料の中には存在していなかったからである。

二〇一八年九月の初旬、「一九五四年一二月二七日のアリソン大使と重光外相との会談」に関する文書と指定して、情報公開請求した。日本でも情報公開法、すなわち「行政機関の保有する情報の公開に関する法律」（平成十一年法律第四十二号）が一九九八年に成立しているのだ。

その一か月後、外務省から文書の開示がされた。そのうち「重光外相からアリソン大使に手渡した文書」（図2）では、外務省が昨年一〇月に機密解除した文書からは、早期の解決を要する案件として次のように述べられていた。

四　例えば、次の問題が早期の解決を要するより緊急な問題とみなされるでしょう、

（一）a　マーシャル諸島の核実験によって引き起こされた損害への補償

b　占領地救済政府基金（GARIOA）の解決

c　一九五三年のMSA（相互安全保障法）の第五五〇条に基づいて、五千万ドルの余剰農産物取引からもたらされる円基金の使用

d　一億ドルの余剰農産物取引への合意の消失

e　共同防衛支出への日本の貢献への合意

（二）大規模な戦犯の解放と仮出所、この問題を解決することで、米国政府の役割に対して日本の人々に好意的な態度をとらせ、ほかの政府の関心事である行動の面で、われわれの関係改善に向けて実質的に貢献するでしょう。

アリソンと重光との会談では、ビキニ水爆被災問題

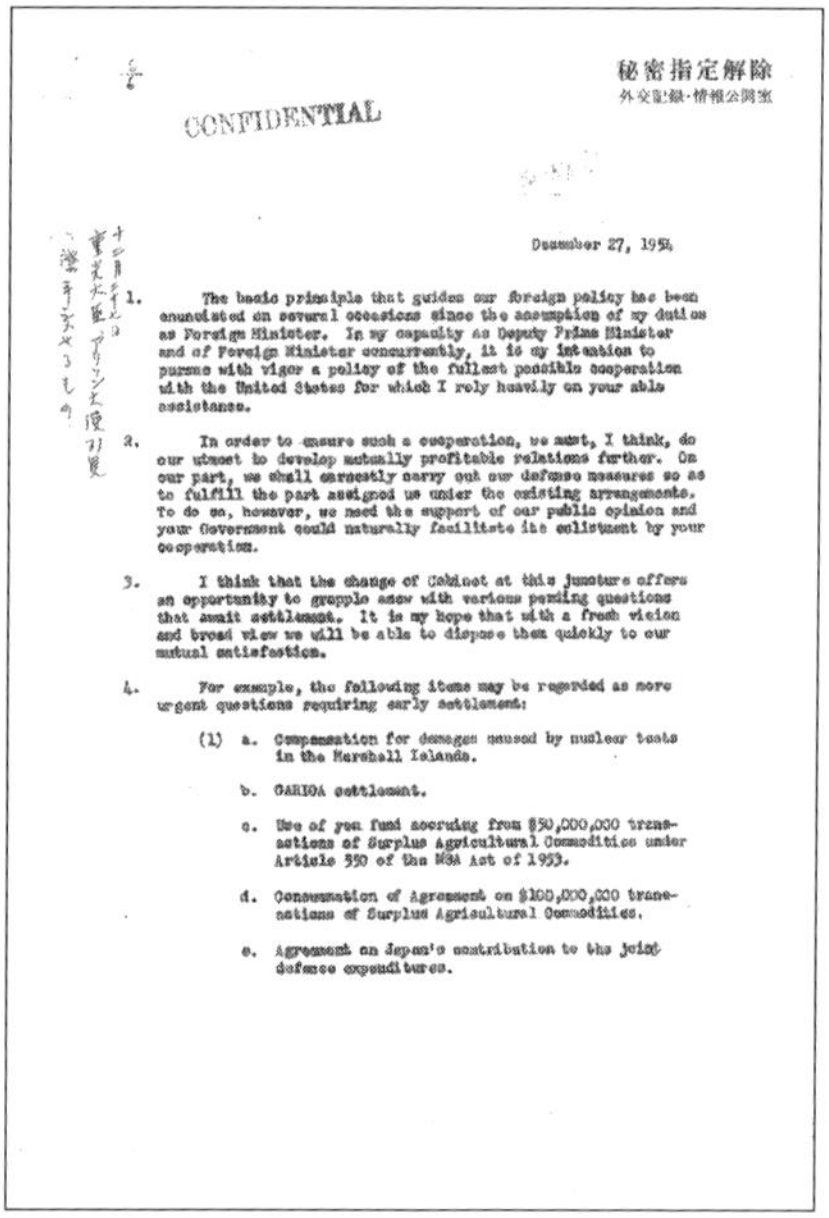

秘密指定解除
外交記録・情報公開室

CONFIDENTIAL

December 27, 1954

1. The basic principle that guides our foreign policy has been enunciated on several occasions since the assumption of my duties as Foreign Minister. In my capacity as Deputy Prime Minister and of Foreign Minister concurrently, it is my intention to pursue with vigor a policy of the fullest possible cooperation with the United States for which I rely heavily on your able assistance.

2. In order to ensure such a cooperation, we must, I think, do our utmost to develop mutually profitable relations further. On our part, we shall earnestly carry out our defense measures so as to fulfill the part assigned us under the existing arrangements. To do so, however, we need the support of our public opinion and your Government could naturally facilitate its enlistment by your cooperation.

3. I think that the change of Cabinet at this juncture offers an opportunity to grapple anew with various pending questions that await settlement. It is my hope that with a fresh vision and broad view we will be able to dispose them quickly to our mutual satisfaction.

4. For example, the following items may be regarded as more urgent questions requiring early settlement:

(1) a. Compensation for damages caused by nuclear tests in the Marshall Islands.

b. GARIOA settlement.

c. Use of yen fund accruing from $50,000,000 transactions of Surplus Agricultural Commodities under Article 550 of the MSA Act of 1953.

d. Consummation of Agreement on $100,000,000 transactions of Surplus Agricultural Commodities.

e. Agreement on Japan's contribution to the joint defence expenditures.

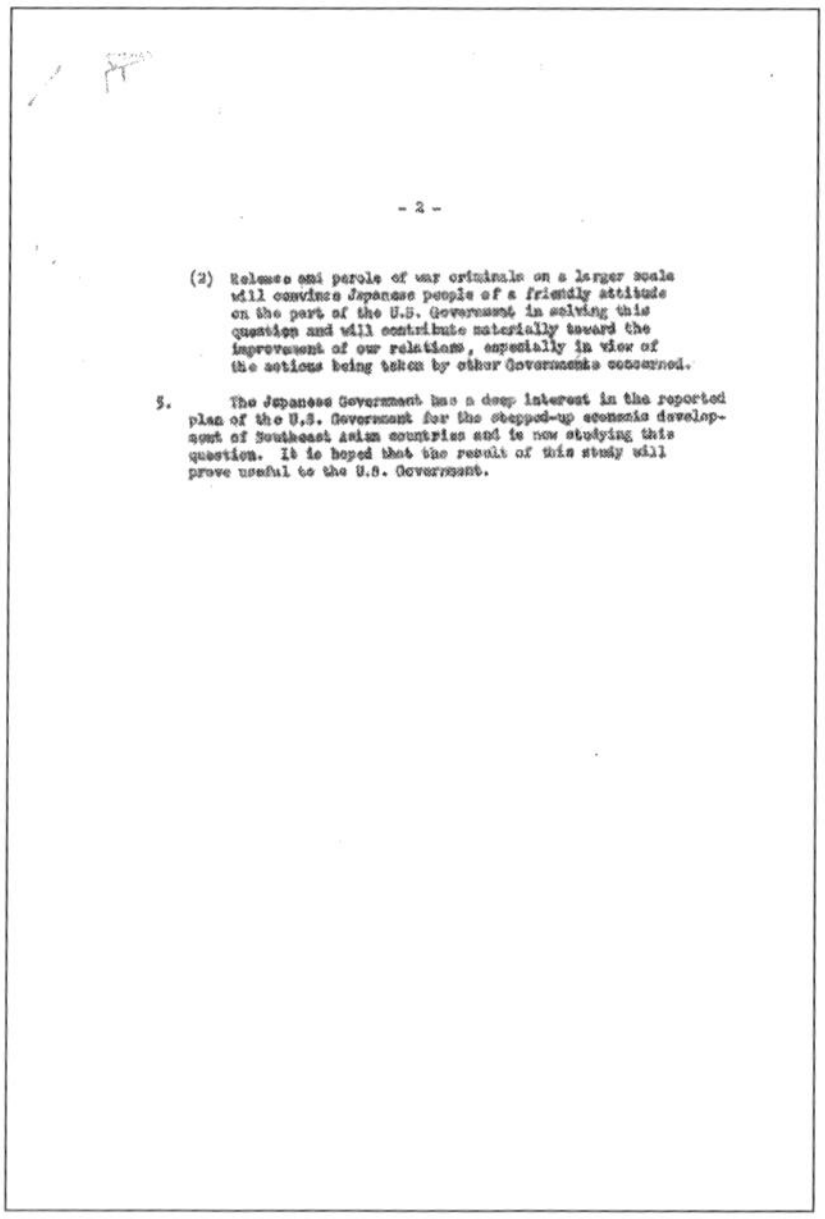

- 2 -

(2) Release and parole of war criminals on a larger scale will convince Japanese people of a friendly attitude on the part of the U.S. Government in solving this question and will contribute materially toward the improvement of our relations, especially in view of the actions being taken by other Governments concerned.

5. The Japanese Government has a deep interest in the reported plan of the U.S. Government for the stepped-up economic development of Southeast Asian countries and is now studying this question. It is hoped that the result of this study will prove useful to the U.S. Government.

図2　1954年12月27日付アリソン・重光会談文書

の「解決」と日本の戦犯解放とが並立する問題として提示された。重光外相からアリソン大使に渡された、ビキニ補償問題と戦犯の解放などを記した文書には、「大規模な戦犯の解放と仮出所」によって、「米国政府の役割に対して日本の人々に好意的な態度をとらせ、ほかの政府の関心事である行動の面で、われわれの関係改善に向けて実質的に貢献するであろう」と、日本人の対米観が好転することが述べられている。すでに、米国立公文書館によって情報開示された文書によって、日本側が「戦犯の解放」を求めていたことはわかっていたが、今回開示された外務省文書で、重光外相みずからがその文書を作成していたことがわかった。

刑期を終えていたとはいえ、A級戦犯として実刑判決も受けていた重光外相は、アメリカ側の戦犯追及姿勢をさらにゆるめさせるために、ビキニ水爆被災問題の案件が書かれている同文書に戦犯問題を入れたことが考えられる。彼にとってはビキニ水爆被災の解決よりも、戦犯解放を重視していることがうかがえる文書である。

高知地裁で敗訴したビキニ水爆被災国賠訴訟の原告は控訴し、高松高裁で日本政府（外務省と厚生労働省）と争うことになった。私も、国が意図的にビキニ水爆被災を隠してきた証拠文書、すなわち日本政府・アメリカ政府ともに機密扱いしてきたアリソン・重光会談文書などを添付して、原告側意見書の提出を行った。

二〇一九年一二月一二日、高松高裁は「国が意図的に隠し続けた証拠がない。法律で被災者の調査や救済の義務も課せられていない」として、原告の訴えを再び棄却した。「国が意図的に隠すとしたら、資料を廃棄していた」、「廃棄していないから、意図的に隠したと言えない」としていた。また実際に機密扱いしていた重光・アリソン会談文書への言及はなかった。

高松高裁の判断では、安全保障上の理由により国家機密扱いし続ける、ということは国が「意図的に隠し続ける」という意味ではないということである。日本外務省は一九五四年から二〇一八年まで機密扱いし続けてきたにもかかわらず、このような判決が下された。日米両政府のビキニ被災関連文書機密下で、被災されたまま放置された人々の訴える裁判は、ビキニ水爆被災から七〇周年にあたる現在も別の裁判の形で係争中である。

〔参考文献〕

高橋博子「隠匿されたビキニ水爆実験被ばく者」若尾裕司・木戸衛一編『核と放射線の現代史―開発・被ばく・抵抗―』昭和堂、二〇二一年

史料1（図1） Withdrawal Notice December 28, 1954, File: Japan General 1951-54, Division of Biology and Medicine, Entry 326-73 Box 12, Records of Atomic Energy Commission, Record Group 326, National Archives at College Park, College Park, Maryland. By FOIA request, this document was declassified in July 2014.

史料2（図2） 一九五四年一二月二七日、アリソン・重光会談文書、秘密指定解除・外交記録・情報公開室（二〇一八年一〇月四日）

第2部

過去から未来へ

第8章

史料としての書状の奥行き

外岡慎一郎《とのおかしんいちろう》

一　はじめに

手紙の文面にはその人の個性が映される。今も昔も変わらない。昨今は筆者もすっかり手紙を出すことも受け取ることも少なくなっているが、個人と個人の意思疎通を図る手段として手紙が占める役割に変動はない。ここは手書きで、便箋から選んでという機会があればあるほどに、心は豊かさを保っているように感じている。若い頃のように、便箋を前にしてドキドキしながら言葉を選んで心情を伝えるなどという機会はすっかりなくなってしまい、適当な時候の挨拶を冠に添えてスラスラと書けてしまうのは、ときに寂しく、むなしい。成熟のあかしか、あるいは惰性か、悩ましいところである。

さて閑話休題。近年は自身の研究でも手紙、歴史研究の世界では書状ということが多いので今後は書状という表現で統一するが、書状を史料として活用する機会が増えている。俗にいう「戦国武将」の書状については何百という数を読んだ。書状の多くは、時々刻々変化する情勢に対応した情報交換、指示・通達や報告に類する内容であるが、特に戦国時代以降は、恩賞の給付や既得権の承認など、書状を受領した人物の地位や権益を未来にわたって保障する目的で授受される文書も、書状の形で整えられるようになることも知られている。

したがって、戦国武将の書状といっても、私信という枠組みでとらえられる書状は案外少ないというのが正直な印象である。しかし、文面にその人の個性、心情が映され、これに感銘をうけたことも一度ならずある。そんななかでも特別な一通が次に紹介する書状である。

二　戦国武将大谷吉継の書状

尚々、昨日前後之様子、閑斎／かた迄之御書中之通承届候、／各相談之上候／つる間、御手前之／不御如在被申候、是又被入御念候、／忝存候、昨日拙者参候て様子得御／意候刻、即時御事請候段、一世之御芳／志、不及是非候、秀包へも御心得可被下候、／又御内衆、たれたれ御手おわれ候哉、無心元候、／よしミとの、みよしとの、あまのとの、さわとの、／かやうの衆無異儀候哉、おそれなから此由被仰届候て／可被下候、かしく、

一筆令啓拝候、仍昨日之御／苦労、誠不始于今儀共候、殊我等／申付候て後殿、是又無比類御／手柄、不及是非候、其刻御出之／由候、餘くたひれ候間、黒甲へ／罷寄候て、不懸御目候、残多存候、／何も以面上可申承候、恐々／謹言、

（文禄二年）二月十三日　吉継（花押）

（端裏）「（切封）元康殿　御陣所　大刑少」

（『厚狭毛利家文書』縦二八・九×横四四・〇糎、／は改行部）

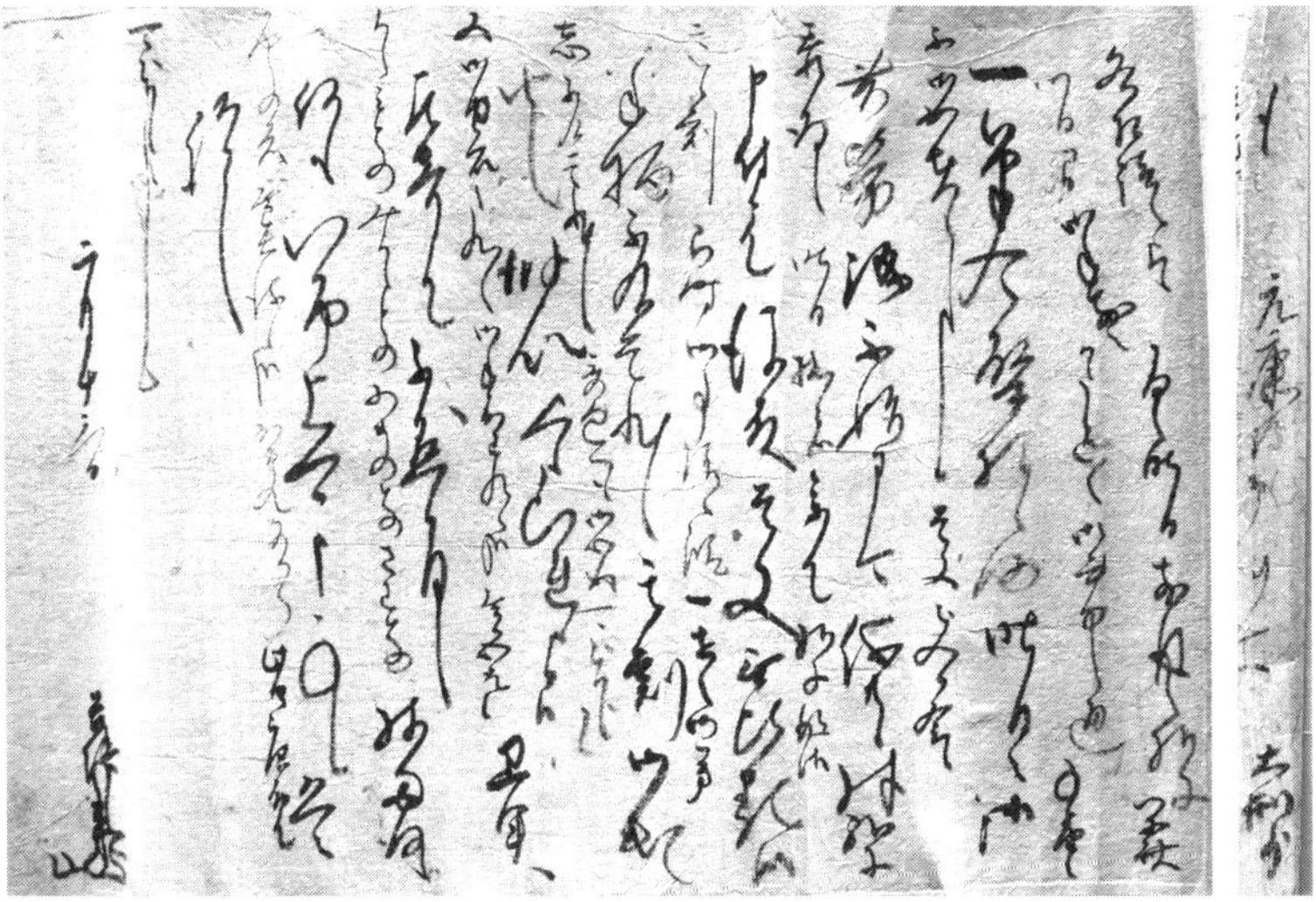

（読み下し文）

一筆啓拝せしめ候、よって昨日の御苦労、誠に今に始まらざる儀どもに候、殊に我等申し付け候て後殿、これまた比類なき御手柄、是非に及ばず候、その刻、御出でのよしに候、餘にもってくたびれ候あいだ、黒甲へ罷り寄り候て、御目に懸かれず候、残り多く存じ候、いずれも面上をもって申し承るべく候、恐々謹言、

（追而書）なおなお、昨日前後の様子、閑斎かたまで御書中の通り承り届き候、各相談の上に候ひつるあいだ、御手前の御如在ならずと申され候、これまた御念を入れられ候、忝く存じ候、昨日拙者参り候て、様子御意を得候きざみ、即時事請け候段、一世の御芳志、是非に及ばず候、秀包へも御心得下さるべく候、また、御内衆たれたれ（誰々）御手お（負）われ候や、心元なく候、よしみどの、みよしどの、あまのどの、さわどの、かようの衆、異儀なく候や、おそれながら、このよし仰せ届けられ候て下さるべく候、かしく、

（現代語訳）

一筆差し上げます。さて昨日の（合戦での）御苦労、いつものことではありますが労い申し上げます。ことに我等の指示で後殿（しんがり）をお引き受けいただき、比類なきお手柄、感謝の言葉もありません。その折、（吉継陣所に）お出でいただいたとのこと（後で知りました）、（吉継は）あまりに疲れてしまい、「黒甲」（黒田長政）の陣営に身を寄せて（休息して）おりましたので、お目にかかることができませんでした。申し訳ありません。いずれお会いして直接お話をお聞かせいただきます。

（追伸）なお、昨日前後の様子（合戦の状況）は閑斎（吉継の家臣）方へ届けられた書状で承知しています。皆で相談して実行したこと（「後殿」）を御手前（元康）は無事成し遂げられたとのこと、承りました。ご丁寧なご報告ありがとうございます。昨日拙者（吉継）がお伺いしてご相談した件（後殿）も即座にご承諾いただきました。一生忘れることのないご対応に感謝の言葉もありません。（小早川）秀包《ひでかね》にもよろしくお伝えください。

また御家来衆はどなたか負傷されたのでしょうか。心配です。吉見殿（吉見元親）、三吉殿、天野殿（天野元政）、佐波殿、これらの皆様にお怪我はなかったでしょうか。恐縮ですがお知らせいただければ幸いです。

三　なぜ「特別な一通」なのか

大谷吉継が第一次朝鮮出兵（文禄の役）の陣中から、同じく陣中にあった毛利元康にあてた書状である。

大谷吉継（一五六五〜一六〇〇）は幼少期から豊臣（羽柴）秀吉に仕え、天正一三年（一五八五）に秀吉が関白になると諸大夫の一人として従五位下刑部少輔に叙任され、引き続き秀吉の近臣として豊臣政権を支えた人物である。書状の端裏に「大刑少」とあるのは大谷刑部少輔の略称である。第一次朝鮮出兵の折には朝鮮半島に渡り、石田三成・増田長盛とともに秀吉の指示・了解のもと現地で指揮にあたる立場にあった(1)。

毛利元康（一五六〇〜一六〇一）は、毛利元就が晩年にもうけた子息（八男）で、右の書状にも登場する小早川秀包は弟（九男）にあたる。秀包は異母兄小早川隆景（元就三男、小早川家に養子）の養子となり小早川を称していた。第一次朝鮮出兵には、小早川隆景、毛利輝元（元就長男隆元の子息）、吉川広家（元就次男元春の子息）らとともに従軍していた。

さて、右の書状は二月一三日付であるが、その前日（二月一二日）には「幸州山城（ヘンジュサンソン）の合戦」の名で知られることになる激戦があった。文面に「昨日」とあるのは合戦当日を指す。

幸州山城（現・大韓民国高陽市）は、すでに秀吉軍の支配下にあった朝鮮の首都漢城に近い。ここに朝鮮の将軍権慄（クウォン・ユル）が反抗拠点を設けていた。朝鮮救援のために明国から進軍した李如松（リー・ウルスン）が、一月二六日に碧蹄館（ビョクチェグァン）で秀吉軍に迎撃されて敗退。幸州山城は孤立したと判断した秀吉軍はこれを攻撃したのであるが、苦戦し撤退した。

合戦の様相など詳細はよくわかっていないようであるが、宇喜多秀家、小西行長、石田三成、増田長盛らのほか、この書状に名前の見える黒田長政、小早川秀包、大谷吉継らが秀吉軍を構成したことが知られている。(2)ただ、右の書状によれば、毛利元康がおそらくは小早川秀包とともに撤退する軍勢の最後尾に残り敵軍の追撃をかわしながら友軍の撤退を助ける「後殿」となったこと、吉継は直接元康に会って「後殿」となることを依頼し、元康はこれを即座に承諾したこと、さらには吉継も実戦に参加したものの疲労により自軍から離れて黒田長政の陣で休息したらしいことなどが判明する。幸州山城攻防戦にかかる情報の一端を提供してくれている。

その意味で、右の書状は「幸州山城の合戦」を知る第一級史料であることは疑いない。しかし、そのことを越えて、筆者には文頭に述べた「手紙の文面にはその人の個性が映される」という点で「特別な一通」なのである。

追而書（追伸）にみえる「又御内衆、たれたれ御手おわれ候哉、無心元候、よしミとの、みよしとの、あまのとの、さわとの、かやうの衆無異儀候哉、おそれなから此由被仰届候て可被下候」（現代語訳は前掲）の一文が心に沁みる。「戦国武将」の書状であれば、合戦での手柄を賞し、労苦をねぎらい、死を悼む文言が載せられる場合も少なくない。ただ、合戦を終えて、一人ひとり、家臣の名前を挙げてその安否を問う文言は、おそらく他に類例がない。

思い浮かぶ景色がある。戦況は思わしくない。撤退は必至となったとき、誰に「後殿」を任せるか、指揮官はその選択を迫られる。石田三成や増田長盛と相談の上であろう。あるいは毛利輝元の意思なども確かめたのかもしれない。「各相談の上」とはおおよそそのような解釈でよいと思うが、元康に会い伝えたのは吉継である。まもなく元康と生死を共にすることになる家臣たち、「よしミとの、みよしとの、あまのとの、さわとの、かやうの衆」もその場にいたのではないか。事前に彼らと吉継に面識があったかどうかはわからない。しかし、そうであれば、吉継は一人ひとりに重事を託す言葉をかけたであろう。元康の家臣たちもそれぞれに名を名乗り答えたであろう。そのような景色あっての文言と理解できるのではないか。

はたしてこの書状を受け取った元康、家臣たちの感激はどれほどのものであったか、想像に難くない。「特別な一通」と考える理由もここにある。元康を始祖とする厚狭毛利家に伝来した文書の一点として残された理由がここに求められれば、なおおもしろい[3]。

四　おわりに

筆者が敦賀市立博物館に勤務していた二〇一五年、特別展『大谷吉継、人とことば』を企画、開催した。数十通にも及ぶ大谷吉継の書状を読み、「手紙の文面にはその人の個性が映される」とのシェーマのもと、吉継の人となりを語ることを企図した展覧会であった。ただ、「特別な一通」として紹介した書状については、原本調査の機会は得られたが、原本展示はできなかった。運搬費が間に合わなかったのである。そうした意味では、「心残りの一通」でもある。

さて、筆者は幸いにも戦場というものを知らないが、戦場は決して美しいところではないだろう。筆者がいまほど思い浮かべた吉継と元康が登場する景色も、戦争美化との批判を免れないかもしれない。しかし、吉継も元康も、元康の家臣たちの多くもまた戦国の世に生まれ、戦場を棲み処とせざるを得なかった世代である。今更の紹介ながら、元康の生年（永禄三年・一五六〇）は桶狭間合戦があった年であり、吉継の生年（永禄八年・一五六五）は将軍足利義輝が暗殺された年にあたる。

その世代の多くが共有したであろう価値観のようなものへの関心、そして考察も、書状の分析によって深まるのではないかと感じている。近現代史研究の世界では当たり前の事柄に属すると思うが、近現代史の研究ほどに体力を消耗せずに取り組める史料群でもある。筆者も追究の手を緩めるつもりはない。

《註》

（1）拙著『大谷吉継』（戎光祥出版、二〇一六年）参照。

（2）合戦の様相については、参謀本部編『日本戦史　朝鮮役』（財団法人偕行社、一九二四年）を国立国会図書館デジタルコレクションにて参照した。

（3）『厚狭毛利家文書』（山口県山陽小野田市厚狭図書館所蔵。中世文書は『山口県史　史料編・中世3』山口県、二〇〇四年、収録）には吉継の書状が三点残されている。しかし同文書の史料的意義を高めているのは、関ケ原合戦にかかる毛利輝元の動きを克明に知り得る文書群が残されているところにある。同文書を活用した研究としては、光成準治「関ヶ原前夜における権力闘争」（『日本歴史』七〇七号、二〇〇七年）などがある。

第9章

五百年まえの史料にふれる

河内《かわうち》　将芳《まさよし》

一　史料というモノが目のまえに出されたら

目のまえに突然、下の写真（図1）のようなモノが出されたとしよう。そのとき、あなたはどのような反応を示すだろうか。古めかしい紙に何やら読めそうもない文字が墨でたくさん書かれてある、といったことは何となくみてとれそうなものの、それ以上先には進めなさそう。おそらくこれが、多くの人びとが示す反応といってよいのではないだろうか。

いっぽう、同じモノを専門的な訓練をうけた人がみると、俄然、反応はかわってくる。そのような専門的な訓練の基本を修得するところが、史学科での学びといえる。

それでは、どのような訓練を史学科ではうけるのかといえば、いたってシンプルなもので、まずは一文字、一文字、それが漢字なのか、ひらがななのか、あるいはカタカナなのかといったよう

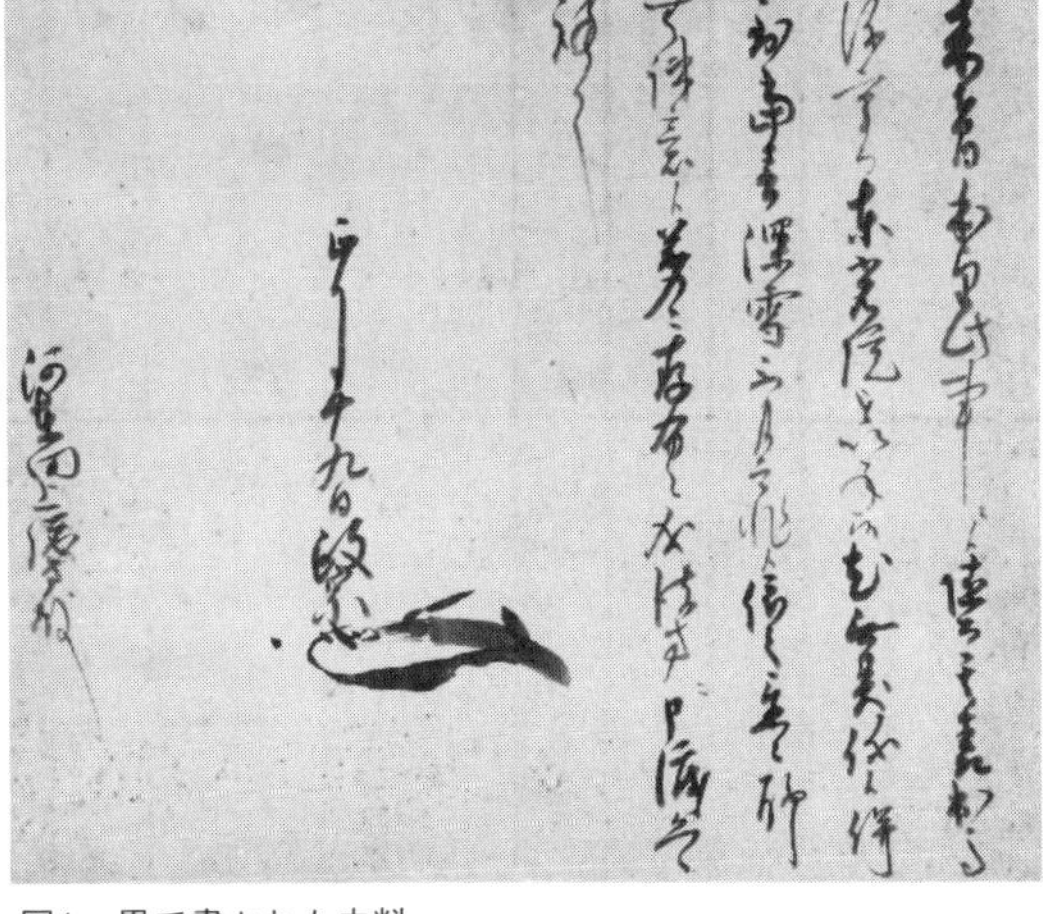

図1　墨で書かれた史料

に、文字の判別という地味な作業からからはじまる。

とはいっても、一見して英語やフランス語のような外国語ではないので、今でもつかわれている日本語文字と似通ったものがありそうだと気づくことにさほど時間はかからない。だから、なにひとつ予備知識がなくても、漢字か、ひらがなか、カタカナかといった判別に苦労することはない。

答えをひとつ先にいえば、写真にみえる文字列は、ひらがなが一か所、カタカナが二か所以外はすべて漢字である。つまり圧倒的多数の漢字で書かれているわけだが、とはいえ、ひらがなやカタカナもつかわれているから、中国語や漢文ではけっしてない。日本語、しかも現代日本語ではない、過去の日本語が書かれていることになろう。

となれば、一番右側の最初の行からどのような文字なのかをさぐっていけばよいことになるが、冒頭の文字をみても、何という文字か、さっぱりわからないと思う人がほとんどだろう。そのような場合は、それを飛ばして、わかりそうな文字から考えていくというのもひとつの道である。

ところが、最初の行から五行目までをながめても、一文字もわかりそうにない、と思った人も少なくないのではないだろうか。でも、心配ご無用。いずれの文字もややむずかしい部類に入る文字ばかりだから、はじめてふれた人にとっては自然の反応といえる。

二　わかりそうな文字から考えてみる

そこで、今度は五行目のつぎの、上から何文字分か下げて書かれている六行目をみてみることにしよう（図2）。すると、その行のなかに「十九」という二文字が書かれてあることに気づくのではないだろうか。それで正解。これで二文字を判別できたことになる。

ついでに、「十九」の下の文字にもチャレンジしてみると、画数も少ない文字なので、ぱっと思いつく文字もありそうである。ためしになぞってみるのもよい。すると、「日」という文字ではないかとみえてくる。それも正解。したがって、判別できた文字列は、「十九日」と書かれていることがあきらかとなる。

それでは、その文字列は何と読めばよいのかといえば、「じゅうくにち」と読む以外にはなさそうである。つまり、この文字列によって日にちがあらわされていることがわかる。そして、そこから、「十九日」の上の文字列は、何「月」かをあらわしていそうだと予想できることにもなる。もっとも、写真の文字列をながめてみても、思いつきそうな文字もうかばず、ここでまたお手上げという人も少なくないかもしれない。

答えをあかすと、そこには「正月」という二文字が書かれている。たしかにそういわれてみると、そのようにみえてくる。じつはこれが大事で、そのくりかえしが訓練となる。したがって、これで「正月十九日」という五文字が判別できた。と同時に、「しょうがつじゅうくにち」と読むこともあきらかとなる。そう、これは「正月十九日」に書かれたモノであったことがあきらかとなるわけである。

図2　拡大図

三　花押という直筆のサイン

そこでつぎに、「正月十九日」の下の文字にもチャレンジしてみよう。第一印象で何という文字か思いつくことも大事だし、慎重になぞってみるのもよい。すると、最初の文字は、政治の「政」にみえてこないだろうか。それで正解。その勢いでその下の文字もみてみると、宗教の「宗」にみえてこないだろうか。

そう、ここには「政宗」という二文字が書かれている。そして、その下の大きな記号のようなものは、花押《かおう》とよばれる、直筆のサインをあらわしている。ということは、その上の「政宗」は人名となろう。

花押は、おおよそ江戸時代の最初のころまで、上は天皇・将軍から下は庶民にいたるまで、他人と区別するためのサインとして広くもちいられていた。写真にみえる花押も同じであり、「政宗」という人物が他人と区別できるようにくふうをこらしたサインである。

じつは、花押は他人と区別するサインであると同時に、それをみれば、だれのサインか他人からわかるようにもなっていた。そういうこともあって、この花押から、それが書かれてあるモノが本物かどうか判断できる材料にもなっている。

写真にみえる花押は、かなり特徴的なものなので、これをみれば、当時でも、現代でも、一見して、その上に書かれてある「政宗」がだれなのかがわかるようになっている。それでは、この「政宗」とはいったいだれかといえば、戦国武将として知られる伊達政宗が答えとなる。

つまり、突然、目の前に出されたモノとは、今からおよそ五百年もまえに生きていた伊達政宗が正月十九日に出した本物の手紙（書状《しょじょう》という）であった。そう聞くと、古めかしい紙に墨で書かれたモノにしかみえないモノも俄然、価値ある存在にみえてこないだろうか。実際、目のまえにあるモノは、歴史的に価値のある存在であり、およそ五百年まえの過去を知るためにも重要な史料として知られている。

四　伊達政宗の手紙（書状）

それでは、六行目以外の文字の答えもあかすことにしよう（「　」は改行をあらわす）。

来簡本望此事ニ候、随而其表出馬」儀、重而東光院を以承候、尤無異儀候、併」到当春深雪不及是非候、依之遅々、聊」無疎意候、万々存分之義、彼方ニ申渡候、恐々」謹言、

正月十九日　政宗（花押）

河東田上総守殿

すでにふれたように、カタカナの「ニ」が二か所、ひらがなの「を」が一か所つかわれている以外はすべて漢字だったことがみてとれるのではないだろうか。また、右では、写真にはみえない「、」（読点）も入れたが、これは読点などがないと、現代人はどこで区切ればよいのか読みにくいため、そのようにするルールにしたがったまでである。逆からみれば、およそ五百年まえの人びとは読点（句点も）をつかわずに文章を書き、読んでいたことがあきらかとなろう。

このように、すべての文字が一応判別できたので、これで終了かと思えば、そうではない。このままでは漢字がならんでいるだけの文章にすぎず、伊達政宗が手紙（書状）で何を伝えようとしていたのかさっぱりわからないからである。

そこでつぎにおこなわなければならないのが、右のような漢字ばかりの文章を当時の人びとがどのように読んだのかを再現する読み下しという作業となる。この読み下し作業にも訓練が必要となるが、ここではそれを

割愛し（訓練というより経験が必要であるため）、どのように読み下していたのかを紹介することにしよう。

来簡本望此事《らいかんほんもうこのこと》に候《そうろう》、随《したが》って其表出馬《そこおもてしゅつば》（の）儀《ぎ》、重《かさ》ねて東光院《とうこういん》を以《もっ》て承り候《うけたまわそうろう》、
尤《もっと》も異議無《いぎな》く候《そうろう》、併《しか》しながら当春《とうしゅん》に到《いた》り深雪是非《しんせつぜひ》に及《およ》ばず候《そうろう》、
之《これ》に依《よ》り遅々《ちち》、聊《いささ》かも疎意無《そいな》く候《そうろう》、万々存分之義《ばんばんぞんぶんのぎ》、彼方《かのかた》に申《もう》し渡《わた》し候《そうろう》、恐々謹言《きょうきょうきんげん》、
正月十九日《しょうがつじゅうくにち》　政宗《まさむね》（花押《かおう》）
河東田上総守殿《かとうだかずさのかみどの》

ここまでたどりついても、政宗が何をいっているのか、ちんぷんかんぷんという人がほとんどではないだろうか。したがって、つぎに現代語訳という作業をしなければならないわけだが、そのさいには、わからないことばを辞書（ネットでもよい）で片っ端から調べるしかない。これもまた、経験がものをいうので、それも割愛し、現代語訳案を示すとつぎのようになろう。

お手紙ありがとうございます。そちらへ出馬してほしいとの要請をあらためて（あなたの使者である）東光院からうけたまわりました。それについては、まったく異存ありません。しかしながら、正月になって大雪が降り、身動きもとれず、どうしようもありません。そのため、（出馬が）遅れておりますが、少しも軽んじているわけではありません。（このような自分の）思いをすべて彼（東光院）に伝えました。（くわしくは東光院から聞いてください）。以上、謹んで申し上げます。
正月十九日　　政宗（花押）

河東田上総守殿

こうしてみるとわかるように、政宗は、河東田上総守という武士から出馬してほしいとの要請を複数回うけていたものの、大雪のため出馬できないとの言い訳をこの手紙で伝えたことがあきらかとなる。現代社会とは異なり、電話もインターネットもない時代なので、遠方の人にメッセージを送ろうとするなら、紙ベースの手紙とそれを持参する使者（今回の場合、東光院）が必要だったことも読みとれよう。

なお、河東田上総守がどのような武士であり、また、政宗がその河東田から出馬を要請されていた歴史的な背景などについてふれる余裕はここではない。もし興味をもってくれたのなら、『奈良史学』三七号（二〇二〇年）（http://repo.nara-u.ac.jp/modules/xoonips/detail.php?id=AN10086451-20200200-0000）をみてほしい。また、この手紙は現在、奈良大学文学部史学科の所蔵となっており、実際に原物をまじかにみることもできる。

第10章

江戸時代に田畑を永代売買？

——ありふれた史料から時代と社会の特徴を考える

木下《きのした》　光生《みつお》

一　ありふれた一枚の史料から

図1は、奈良大学文学部史学科が所蔵する大和国《やまとのくに》宇《う》陀郡《だぐん》角川《つのがわ》村（奈良県宇陀市）文書《もんじょ》に残された、江戸時代の古文書《こもんじょ》である。初心者でも一～二か月コツコツ勉強すれば読めるぐらいの、きれいなくずし字で書かれているので、江戸時代の史料を読む史学科二年生向けの授業でよく利用している。そこでは、以下のように記されている。

売渡申《うりわたしもうす》田畑之事《のこと》

字《あざ》こづくし口

一《ひとつ》　下々田《げげでん》五畝拾歩《せじゅうぶ》　分米《ぶんまい》三斗《と》七升《しょう》三合《ごう》三　勺《しゃく》

字こづくし四畝六歩之内《のうち》

一　下田《げでん》廿《にじゅう》五歩　分米七升五合

字ふちの上

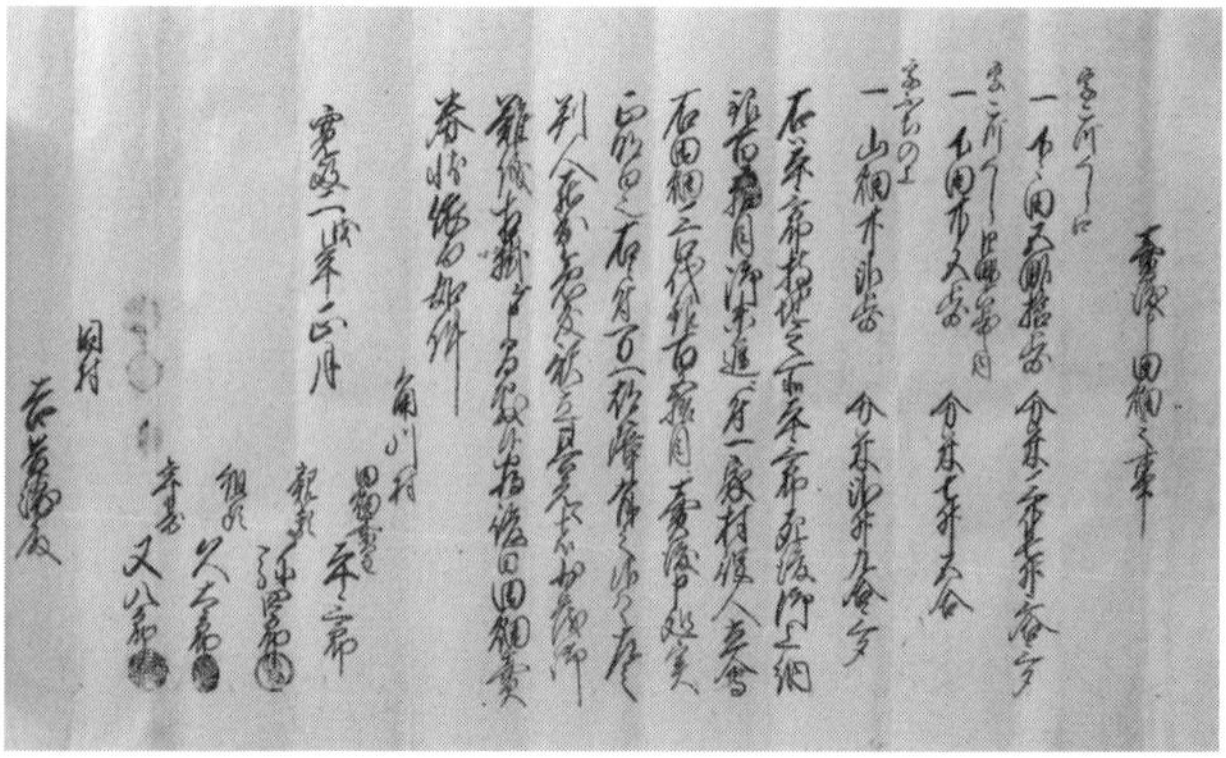

図1　角川村の寛政２年「売渡申田畑之事」

一　山畑廿弐《に》歩　　　分米弐升九合三勺

右ハ平三郎《へいざぶろう》持地《もちち》之所《のところ》、平三郎死後、御上納銀百五拾目《め》御未進《ごみしん》ニ付《つき》、一家・村役人立会《たちあい》、右田畑三口《さんくち》代銀百五拾目ニ売渡 申処《うりわたしもうすところ》、実正《じっしょう》明白也《なり》。右ニ付、万一故障有之候ハヽ《これありそうらわば》、左之判人罷出《さのはんにんまかりいで》、急度訳立《きっとわけたて》、其元《そこもと》へ者《は》少茂《すこしも》御難儀《ごなんぎ》相掛《あいか》ケ申間敷候《もうすまじくそうろう》。為後日《ごじつのため》、田畑売券《ばいけん》状、依而如件《よってくだんのごとし》。

寛政二戌《いぬ》年正月　　角川村　田畑売主《うりぬし》　平三郎

親類　弥《や》四郎（印）

組頭《くみがしら》　久《きゅう》太郎（印）

年寄　又八郎（印）

同村　吉兵衛《きちべえ》殿

ここから、次のことが判明する。

①角川村の平三郎家では、戸主の平三郎が、銀で支払う年貢（「御上納銀」）一五〇目を滞納（「御未進」）したまま、亡くなってしまった。

②そこで一七九〇（寛政二）年一月、遺された家族と親戚（「一家」）、および村役人が話し合い、平三郎家が所有する田畑を、同じ村に住む吉兵衛へ銀一五〇目で売り渡し、その売却代金で滞納税を支払った。

③吉兵衛へ売り渡されたのは、次の三つの田んぼと畑であった。

＊角川村の小字《こあざ》「こづくし口」（田畑には、地元の人しかわからない固有の名前が付けられており、それを小字という）にある、「下々《げげ》」という等級の田地、広さは五畝一〇歩（五一八・四㎡、一畝＝三〇歩＝九七・二㎡、一歩＝一坪＝二畳＝一・八×一・八m＝三・二四㎡）、土地評価額である石高（「分米」）は三斗七升三合三勺（一石《こく》＝一〇

斗、一斗＝一〇升、一升＝一〇合、一合＝一〇勺）

＊小字「こづくし」にある四畝六歩の農地のうち、「下《げ》」という等級の田地、広さ二二五歩（八一㎡）、石高七升五合

＊小字「ふちの上」にある「山畑」という等級の畑地、広さ二一二歩（七一・二八㎡）、石高二升九合三勺

④差出人として署名・押印しているのは、売り主の平三郎（本人死亡のまま、次世代への家督相続がまだなされていないのか、署名だけで押印はない）、親類代表の弥四郎、平三郎家が所属する五人組の組頭を務める久太郎、村落自治で庄屋（名主）に次ぐ地位にある年寄の又八郎で、組頭と年寄が、本文に出てくる「村役人」にあたる。この署名者（「判人」）たちが、平三郎家の土地を買い取った吉兵衛に対し、もし今回の売買契約で何か問題（「故障」）が生じたとしても（たとえば、この三つの田畑が、実は別の借金契約の担保になっていた、など）、自分たちがそれを解決して（「訳立」）、吉兵衛には迷惑（「御難儀」）をかけない、と誓約している。

二　江戸時代と現代社会の違い

こうした田畑の売渡《うりわたし》証文、あるいは土地の売券《ばいけん》と呼ばれる史料は、江戸時代の古文書としては、ごくごくありふれたものであり、右の史料で示されているのも、「税金を払えなくなった人が、自分の土地を売って、それをまかなった」、ただそれだけのことである。だが、この一見何の変哲もない史料にも、「現在の常識」から見ると不思議なことが一杯あり、その不思議さ自体に、江戸時代という時代と、そこで展開される社会の特徴があらわされている。

まず、田畑永代売買禁止令との関係である。中学校や高校の歴史教科書にも記載されているように、江戸幕府は一六四三年、人びとが、自分の所有する田畑を他人に売り渡すことを禁止した。なぜ、禁じられているは

ずの田畑売買が、角川村で平然とおこなわれているのか。村人たちは、禁止令を知らなかったのか。いや、角川村でも一八六七年に幕府の法令を書き留めた帳面が作成されており、そこには「田畑・屋敷・山林等、永代売買御停止《ごちょうじ》ニ候」と、田畑永代売買禁止の条文も見えるから、村人たちは確実に禁止令の存在を知っていた。では、法令を知ったうえで、幕府に見つからないよう、コソコソ売っていたのか。いや、売券には村の公職たる村役人たちも署名しているのだから、隠れて取引をしていたというよりも、むしろ堂々と田畑を売り買いしていたとみた方がよかろう。公権力が、田畑を売ってはいけないと命令し、村人たちも表ではハイハイと言いながら、裏では村役人公認のもと、バンバン土地を売り買いする。それでいて、体制が揺らぐわけでもない。これはいったい、どのような社会をあらわしているのか。

第二に、なぜ田畑を売り渡すときに、「年貢を滞納しているので……」と、わざわざ売却理由を明記しているのか。現在であれば不動産売買の契約書に、「税金を払えなくなったので、この土地をあなたに売ります」と記すことは、まずない。だが江戸時代の場合、売渡証文に「年貢や借金の支払いに困ったので売ります」と公言することの方が、むしろ一般的であった。おそらく、①「個人」が納税責任を負う現代とは異なり、江戸時代では「村」が納税責任を負い、各世帯の年貢を村でとりまとめて領主に納めていたので（教科書にいう村《むら》請《うけ》制）、②平三郎家のように、誰かが年貢を払えなくなると、村全体でそれを一時的に立て替えて、領主へ差し出す年貢の総量をそろえる必要があった、③ゆえに、年貢を滞納し、他人にそれを立て替えてもらっている世帯が、どのようにその立て替え分を村に返済してくれるかは、村人全員の関心事でもあった、④だから、売渡証文にわざわざ売却理由を明記させ、その代金で年貢が支払われることを確約させる必要があった、ということであろう。

第三に、なぜ村役人も証文に署名しているのか。今なら、自分の土地を誰かに売り渡す際、地域の自治会長にもわざわざハンコを押してもらっているようなものだが、現在では、法律的にも、社会的にもそのようなことは求められておらず、契約書に登場するのは、基本的に売り主と買い主だけ、である。一方、江戸時代では、村役人も土地売券に署名することが一般的であった。田畑の売買は、売り手と買い手の一存だけでは決められず、「地域の了承」も取り付けなければならなかったのである。その背景には、村のなかの土地は、たとえ誰かの私有地であったとしても、村のなかにある以上、村のものでもある、という土地所有に対する独特の考え方があった（渡辺 二〇一三）。第二の論点で述べた、田畑の売却理由を公表させるという行為も、「村内の土地は、みんなの土地でもある」という発想に支えられているであろうし、「村人みんなのものだ」と考えるからこそ、平三郎家が吉兵衛に売ったごとく、どうせ売るなら、同じ村に住む顔馴染みの人に売ろう、という力学が強く働いた。そこには、お互い顔見知りの家が、何代も続くこと——村人の面接性の高さ（坂根 二〇一二）——を社会の基本にすえようとする、当時の考え方が横たわっていた。

第四に、そもそもこの売渡証文は、いったい誰が書いているのか。くずし字をよく見ると、本文のみならず、署名欄の名前もすべて、同じ筆跡のようだ（図2）。ということは、誰かが署名も含むすべての文章を書き、あとからハンコだけをもらった、と想定される。それが誰なのかが問題になるわけだが、ここでもう一つ考えなければならないのが、そもそもこのような「ちゃんとした」文章を——しかもきれいな字で——みんなが書けたのか、という問題で

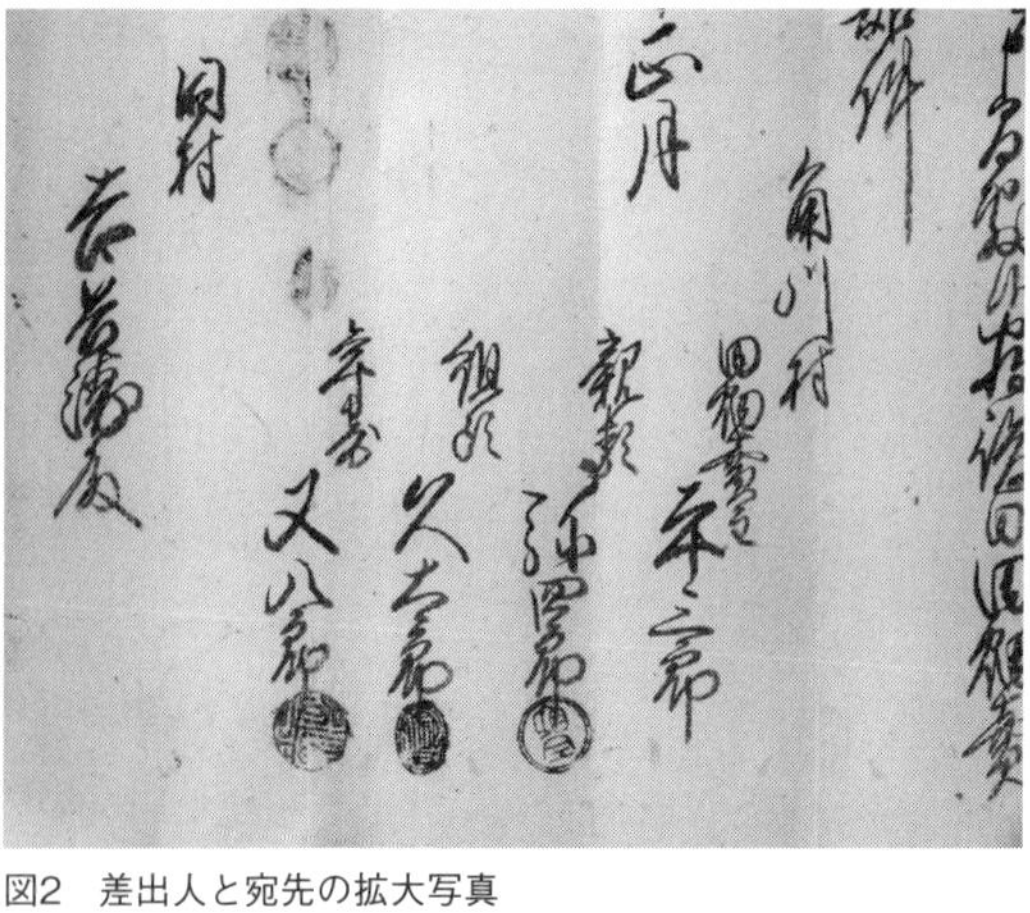
図2　差出人と宛先の拡大写真

ある。実は、江戸時代が終わって間もない一八七〇年代でも、自分の名前はともかく、契約書のような「きちんとした」文章を書けるのは、村のなかの一割程度であった、と言われている（八鍬 二〇二二）。角川村の人口規模は、一八七二年段階で家数二四軒／人数一二四人であったから、一割とはおよそ二軒、すなわち庄屋や年寄といった村役人を務め、比較的裕福であったような、ごく限られた家の人しか、これを書けなかった可能性が高い。ということは、仮に平三郎が生きていたとしても、売り主本人がこの売渡証文を書いたのではなく、一緒に署名している年寄の又八郎、あるいは、買い手である宛先の吉兵衛――吉兵衛家は、庄屋を務めるような家でもあった――が、作文はもちろん、紙・筆・墨の用意を含む、すべてのお膳立てを整えたのかもしれない。

三　田畑を売ることの意味

最後に、平三郎家の経営にとって、広さ計六畝二七歩（六七〇・六八㎡、二五メートルプール二つほど）、石高四斗七升七合六勺の田畑を銀一五〇目で売り渡すとは、何を意味したのか。この点は推測するほかないが、一八〇七年における村内全四一世帯の年間収入と支出が判明する大和国吉野郡田原《たわら》村（奈良県宇陀市）の場合、年収、納税額、税負担率（納税額÷年収）それぞれについて、四一世帯を順番に並べると、ちょうど真ん中に来る数値（中央値）は、年収は銀六七〇匁《もんめ》（匁＝目）、納税額は銀約二七〇匁、税負担率は三五・四%、となる（木下 二〇一七）。それを基準とし、かつ平三郎家の滞納税銀一五〇目は、同家の年間納税額の全額であったとするならば、平三郎家の年収は、税負担率三五・四%から逆算して銀四二四匁ほどとなり、中央値六七〇匁より低位に位置する低所得層であったと推測される。この点は、平三郎家が証文を書いていなかったのでは、という第四の論点とも連関する。

一方、夫婦労働力を基盤とする江戸時代の農家では、耕作面積の適正規模はおよそ五反《たん》＝五〇畝＝四八六〇㎡（高校のグラウンドの約半分）、石高では五石程度が普通であったと言われている（田原村でも中央値は五石余）。そこからすれば平三郎家は、滞納税の支払いのために、自分の資産（≒年収）の一割ほどを手放したことになる。だが、これで平三郎家の農業経営が後退したかというと、必ずしもそうとも言い切れない。というのも江戸時代では、たとえ土地を手放したとしても、今度はそこを小作人として借り受け、農業を営み続けることが一般的であったからである。平三郎家も、自分の土地の一割を吉兵衛に売ったけれども、その後は吉兵衛に小作料を支払いながら、引き続き「字こづくし口」の下々田、「字こづくし」の下田、そして「字ふちの上」の山畑を耕して、自作＋小作を組み合わせた自小作農として生きたのかもしれない。農地の売り渡しが、「農業経営者の賃金労働者化」に向かわなかったのは、いわゆる「囲い込み」が進行したイギリスなどとは異なる、日本社会の世界史的な特徴であり、小作地のみの「まったき小作人」ではなく、自小作農が主流となるのは、戦後の農地解放直前まで続く、日本社会の長期的な歴史的特質でもあった。

平三郎家の田畑売渡証文は、ごくごくありふれた、何でもない史料である。だが、その「何でもなさ」にこそ、時代と社会の特徴は刻まれているのであり、そこを見つけ出すのが、歴史学の面白さなのである。

〔参考文献〕

木下光生『貧困と自己責任の近世日本史』人文書院、二〇一七年
坂根嘉弘『日本伝統社会と経済発展』農山漁村文化協会、二〇一一年
八鍬友広『読み書きの日本史』岩波新書、二〇二三年
渡辺尚志『近世百姓の底力―村からみた江戸時代―』敬文舎、二〇一三年

第11章

春日山の情景
——物乞う人びとの足跡をたどる

井《い》岡《おか》　康《やす》時《とき》

一　春日山の乞丐

奈良大学のキャンパスは奈良市北端の丘陵上にある。学舎の最上階から東に目を向けると、東大寺や興福寺の甍《いらか》が視野に入り、その背後には春日山がやわらかな稜線をなして心和む景観をみせている。

観光名所を紹介したガイドブックには、春日山が一九二四年に天然記念物、五五年に特別天然記念物の指定を受け、「春日山原始林」の名で文化財保護法によって守られてきたこと、九八年には「古都奈良の文化財」の構成資産の一つとして、ユネスコ世界遺産のリストにのせられたことなどが記されている。もう少し詳しいものなら、春日山とは、御蓋《みかさ》山や花山など奈良市街東方の山域の総称であって、このうち御蓋山は春日大社の祭神の一神である武甕槌命《たけみかづちのみこと》が白鹿に乗って降臨した地とされ、古来、聖なる山として奈良の人びとから敬われてきたことなどにも触れているだろう。

図1　春日山遠望（奈良大学より）

右のような記述で間違いはないが、春日山にかかわる史料のなかに分け入っていくと、それだけではない新たな歴史像が浮かび上がってくる。小論においては、今ではかえりみられることのない、春日山にかかわる心象風景の一つを述べてみようと思う。

まずは、一九二〇年刊行の第七回『奈良県史蹟勝地調査会報告書』に掲載された、佐藤小吉「北山十八間戸」の一節を読んでいただこう。佐藤は奈良女子高等師範学校（現奈良女子大学）で教鞭をとっていた歴史学者で、報告はハンセン病者の現存最古の救済施設として知られる北山十八間戸（奈良市川上町）の調査結果について述べたものである。このなかに次のような一文がある。

余思へらく現在奈良にて、乞丐を春日山と云へるより見れば、北山十八間戸に癩者居れるより、自然後には癩者を北山と呼びしならん

「癩者《らいじゃ》」とはハンセン病の罹患者に対する古い呼び名であるとともに、差別語として用いられてきた歴史があるため、今日では使われることのない言葉であるが、この人びとを「北山」と呼称するのは、奈良の町で「乞丐《こつがい》」を「春日山」と呼んでいるのと同じことだというのである。「乞丐」とは物を乞うて糧を得る人びとのことであるが、今からおよそ百年ほど前の奈良の人びとは、物乞いによって生きるしか術のない貧窮者を「春日山」と名づけていたようだ。しかし、その名は神が降り立った聖なる山の名称でもあるはずだ。このイメージの落差について考えてみる。

二　神官の嘆き

江戸時代中期、一七六二年のことである。春日社（現春日大社）の神官中臣延栄は春日山の状況に頭を痛めていた。解決の道を探ろうとした延栄は、折りから京に上る別の神官に京都町奉行所宛ての書簡（「中臣延栄記」宝暦一二年四月二八日条）を托した。そこにはおおよそ次のようなことが記されていた。

近年、春日山内に「非人」たちが入りこんでいる。以前はこんなことはなかったが、「二十ケ年」ほど前から姿をみせるようになり、今では「大勢之非人共」が山内のあちこちに住むようになっている。奈良奉行所に取り締まりを依頼して追い払っているが、一、二か月もすると戻ってくるので、なすすべもなく山内は「非人住所」となっている。夏には参道に姿をあらわすが、そのようすは「甚不浄之事」であって困っている。山の木は勝手に切るし、火災の発生も心配しなければならない。今後は永久に「非人」たちが山内に入らぬよう処置することを奈良奉行所に命じてもらいたい。

ここでいう「非人」とは、生活に困窮して町や村からの離脱を余儀なくされた野非人《のびにん》のことである。こうした人びとは、住む家もないままに各地を徘徊して物を乞う暮らしを送っていたが、度重なる飢饉などによりその数が増えたこともあって、しだいに重大な社会問題となっていた。中臣延栄は一七六二年の「二十ケ年」ほど前から野非人が現れたと述べているが、どのような事情があったのだろうか。

一七一四年の秋、東海から近畿地方は二度にわたって暴風雨にみまわれた。大和国でも被害が大きく、多くの困窮者を出すことになった。さらに三二年から翌年にかけて冷害や虫害などによる凶作のために飢饉が発生し（享保の大飢饉）、西日本の各地に甚大な損害を与えた。おそらくこうしたことが野非人の増加につながったと考えられる。こうした情況に危機感をいだいた春日社神官らが京都町奉行所に訴えたのだが、期待通りに事は進まなかった。奈良町の内侍原町《なしはらちょう》に伝わる文書（大宮守友翻刻『奈良内侍原町所持記録控―内侍原町八嶋神社古文書―』）に、同町でおこなわれていた「春日永代太々神楽《だいだいかぐら》」とよばれた春日信仰にかかわる神事についての記載がある。春日社神官の訴えから六〇年余り後の一八二八年の記録によると、この神事の際に、「山のうへの小家」から「山非人」たちがやってきたので、酒や銭を施したことが記されている。春日の神を信仰する奈良の町人が口にする「山」とは春日山以外には考えられない。「山非人」とは春日山を居所とする野非人たちのことであろう。山中には、規模は不明であるが、「小家」とよべるような家屋も設けられていたのである。野非人が数を増やし定着していたようすがうかがえる。こうして春日山には神降臨とは別に、もう一つの異質のイメージが付着し、佐藤小吉が述べたような春日山像ができあがっていったと考えられる。

三　野非人新蔵の願い

明治維新にともなう政治改革のなかで、旧来の身分を廃して人びとを統一した基準で把握する戸籍制度が設けられた。その際、課題の一つとなったのが、徘徊する野非人の戸籍登録のことであった。一八七一年の八月二八日に「穢多」や「非人」等の呼称の廃止を達する「解放令」が出されているが、奈良県では、これを同年九月二九日に管内に布達しており、そのなかで、野非人は「居住地之村町支配たるべき也」と命じている。つまり、野非人については生まれた町や村ではなく、現に生活している所の戸籍に入れよ、というのである。しかし、その実施は容易なことではなかった。

一八七一年の一二月のことである。新蔵という者（二八歳）が、妻とら（三〇歳）及び子どもの竹松（七歳）・きく（一歳）と連名で願書を提出した。奈良県立図書情報館所蔵の奈良県庁文書（明治五年「各支庁往復及諸決議其他願伺届之件」）に収められている、この願書の内容は次のようなものであった。

田原本村に生まれた私は、四歳の時に両親と死別し、唐古村の青物商の家に貰われたが、この家も貧しかったため一一歳のころに養親に捨てられてしまった。そこで「春日山内」に入って暮らすようになり六年前にとらと夫婦になった。その翌年に芝辻村の「野番小屋」番人に雇われて今に至っている。戸籍編成にあたっては、私は身寄りのない人間、妻とらも「非人之娘」であるので、芝辻村の戸籍に入れてもらいたい。「身分惣応之日雇稼キ」でも何でもするから、ぜひお聞き届けいただきたい。

田原本村（現磯城郡田原本町）に生まれ、野非人となった新蔵が向かった先は春日山であった。明治維新後も野非人の行き先は限られていたようである。新蔵はやがて妻と出会うが、その後に得た仕事は芝辻村（現奈良市芝辻町）の「野番小屋」勤めであった。田畑を盗難や獣害から守る番人＝野番として働いていたのだが、このまま芝辻村の戸籍に入れてほしいと願い出たのである。幼い二人の子どもをかかえた新蔵としては、安定した暮らしを得るための切なる訴えであった。しかし、芝辻村がこの願いを拒否したため、奈良町の役人である市中戸長は、次のような伺い書を奈良県に提出した。

小屋番新蔵については、芝辻村より、もはや番人は不要となったので村の戸籍には入れられないとの申し出があった。しかし、それでは新蔵一家も困るだろうから、「春日御山内大小屋」へ行くよう命じてもらえないだろうか。このことについてお伺い申し上げる。

辛未十二月十六日

市中戸長　千載伝吉㊞

こうした伺いに対して、奈良県がどのように対応したかは明らかではないが、ともかくここでは野非人は春日山に入ることが当然とする社会認識があったことを確認しておきたい。「春日御山内大小屋」については場所も規模も不明であるが、名称から察すると、かなりの数の野非人が起居する建造物が存在していたかと思われる。一八二八年の記録には「山のうへの小家」と記されていたが、その後、規模が拡大して「大小屋」になったのだろうか。不明な点が多いものの、春日山では野非人の拡大・定着が進みつつ明治維新を迎えたと思われる。

四　春日山の乞丐のその後

その後、春日山の乞丐はどのような運命をたどったのだろうか。奈良県立図書情報館所蔵の薄木家文書には大量の新聞の切り抜きが保存されているが、そのなかに「四十一年七月四日記事」と注記された記事がある。これを信じるなら明治四一年＝一九〇八年七月四日付新聞の切り抜きと考えられるが、新聞名については調査しているものの今のところ不明である。次のように記されていた。

●春日乞食離散す　当市高畑町大字裏大道同ドンボ等に一団を為し居れる彼の有名なる男女八十余名の春日乞食連は、同所附近に兵営も設置され随つて同所は今後発展して繁華の町となるべきにより、斯の如き一団が永久に棲息するは自然市の体面に関するのみか、彼等は常に昼夜の別なく金さへあれば賭博に耽り延いては犯罪を為すに至るにぞ、奈良署にては既記の如く先頃より種々懇諭して帰郷又は正業に就くべく勧告し居たるが、其後彼等は漸く其意を悟り先月頃より追ひ追ひ立ち退き初め、原籍あるものは一族の者と袂を別ちて古巣を後に各自思ふ所に分離しつ、ありしか、立退き期限と定められあり六月三十日には既に一人も残らず退去して、茲に奈良の名物と聞へり春日乞食は全く其根を絶されたれば（下略）

右記事中の「兵営」とは、一九〇九年三月に今の奈良教育大学所在地（奈良市高畑町）に移駐してくる歩兵第五三連隊の兵舎のことと思われる。連隊の設備建設にともなって、その周辺にいた「男女八十余名の春日乞食連」が「市の体面」や治安維持などの理由から立ち退きを余儀なくされたというのが、この記事の趣旨である。そのとおりであるとすると、春日山の乞丐は、二〇世紀初頭に軍隊という文字通り近代の組織と出会うなかで終焉の時を迎えたのである。もちろん貧窮の暮らしまでもが解消したはずはなく、「奈良の名物と聞へり春日乞食」は各地に散在することになったと思われる。

それでも春日山は乞丐の地とする記憶は残り続け、一九二〇年の佐藤小吉の一文につながることになった。ところが、二四年には天然記念物の指定を受け、以後の春日山がみだりに人の立ち入りを許さない場となるなかで、乞丐の山というイメージはしだいに忘却されていったのではないだろうか。

春日山に神威を感じ崇敬する人びとの心情は大切にされなければならず、その豊かな生態も後世に伝えていきたい。しかし、そこは社会矛盾が集中して現出する場となっていたことも忘れてはならない。今も生存ラインぎりぎりの暮らしを余儀なくされている人びとが生まれ続けているのだから。そして、その解決は私たち全員の課題なのだから。

〔参考文献〕

井岡康時「春日山異聞―乞食へのまなざしをめぐって―」『リージョナル』第九号、二〇〇八年
畑中章宏『『日本残酷物語』を読む』平凡社新書、二〇一五年
倉地克直『江戸の災害史―徳川日本の経験に学ぶ―』中公新書、二〇一六年
木下光生『貧困と自己責任の近世日本史』人文書院、二〇一七年

第12章

第四回内国勧業博覧会と「鵺塚《ぬえづか》」

村上《むらかみ》　紀夫《のりお》

一　はじめに

「鵺塚」が、なぜこんなところに――それが最初の印象だった。

「鵺」とは、『平家物語』などに登場し、猿の顔、狸の胴体、虎の手足、蛇の尾を持つもので、夜な夜な宮中に出現したために、天皇の命で源三位頼政によって退治されたといわれる。一八九四年四月一日から京都の岡崎で開催されていた第四回内国勧業博覧会の様子を描く図に、「鵺塚」があったのである（図1）。

内国勧業博覧会とは、日本各地の最新工業技術や手工業品を展示し、産業振興と輸出品の育成をするために明治政府が実施したもので、いわば万国博覧会の国内版である。第四回内国勧業博覧会は、東京奠都《てんと》以降、経済的に低迷する京都で、文化・経済の活性化のために平安京遷都一一〇〇年の記念事業として実施したものだ。博覧会の目玉として、平安京の大極殿などが、八分の五サイズで復元され、桓武天皇を祭神とする平安神宮が創建された。水族館や機械館などが評判を呼び、美術館では黒田清輝の油絵が話題になった。博覧会場へは、

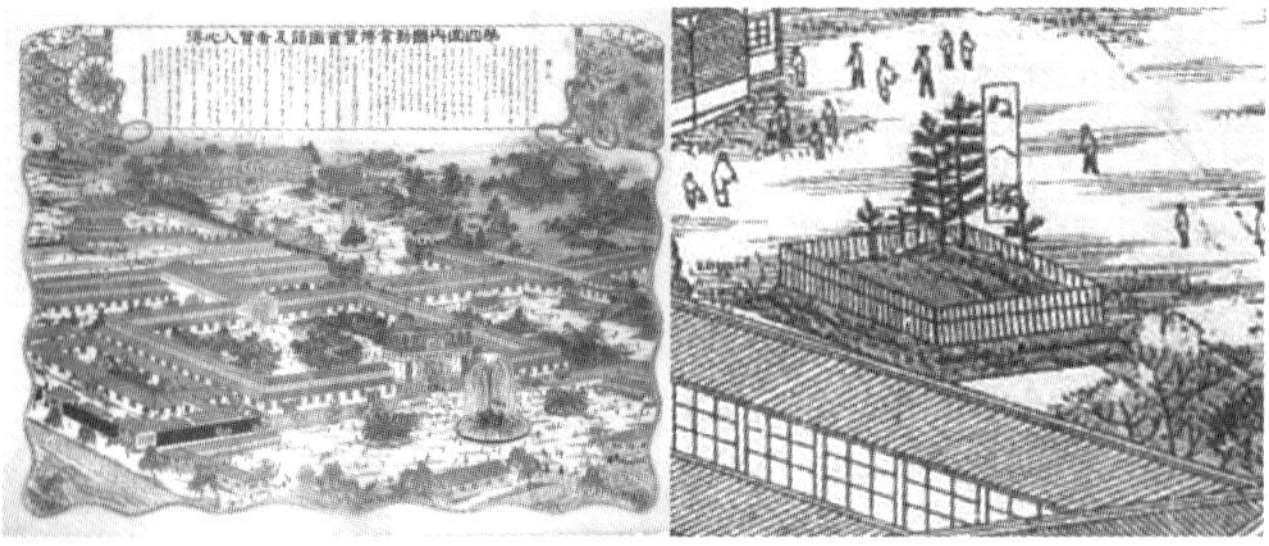

図1　「第四回内国勧業博覧会図譜及看覧人心得」（左）、同「ぬへ塚」部分拡大（右）　京都府立京都学・歴彩館蔵

一八九〇年に完成した琵琶湖疏水の水力発電により、路面電車が人びとを運んでいた。意外なことに、この「鵜塚」も第四回内国勧業博覧会事業の一環として整備されたものであった。公式記録である京都市参事会による『平安遷都紀念祭紀事』にも掲載され、驚くことに鵜塚をはじめとして、西天王塚・姫塚《ひめづか》（秘塚）保存のために「平安神宮及ヒ博覧会工芸館トモ十間西ニ寄セテ之ヲ建築」したとあった。博覧会の目玉企画であった平安京朝堂院復元建築の計画変更さえして保存されたものなのだ。

そこまでして、京都の近代化を象徴するような博覧会とはおよそ似つかわしくない「鵜塚」が会場内に保存されたのはなぜなのだろうか。

二　「鵜塚」の払い下げ申請

結論を急がず、第四回内国勧業博覧会までの「鵜塚」について、史料で確認しておくことにしよう。近世に書かれた京都の地誌を見ると、後に勧業博覧会が開催されることになる岡崎の近くには「東三条の杜」と呼ばれる森があり、そこが「鵜の森」とされていたことがわかる。一六八四年の『菟芸泥赴《つぎねふ》』という史料に出てくるのが比較的早く、その後も繰り返し地誌に記載される。江戸時代の古地図にも記載されているから、よく知られたものだったのだろう。

「鵜塚」とする記載は、地誌には見えないが、暁鐘成という戯作者による『雲錦随筆』（一八六二年刊）に「東三条の杜の古跡とて下岡崎南の端西一町許、田圃の中に一堆の丘ありて俗に鵜塚といふ」（『日本随筆大成』第一期第三巻、吉川弘文館、一九七五年）とある。幕末には岡崎に「鵜の森」とされていた場所に小さな丘があり、それが「鵜塚」と呼ばれていたようだ。

一八九三年一〇月三日、京都市参事会は、京都府知事に対して「鵜塚」と姫塚（秘塚）・天王塚について、

第四回内国勧業博覧会場敷地として買得した土地の中央にあり、「工事上差支」るだけでなく、将来的な土地活用にも支障が出るとして、特に由緒来歴もないので（「別段由緒等モ無之趣ニ承知候間」）、払い下げをしてほしいと願い出た（「市参事会・知事官房・第四課郡区町村指令等原議書」京都府立京都学・歴彩館蔵「京都府庁文書」明二六‐〇〇三二）。鵺塚には近世から明確な所有者がおらず、近代には「公有地」となっていたのだろう。そこで、京都市参事会は京都府へ払い下げを願い出た。申請が認められれば、工事の支障となっていた三つの塚は取り壊されることになったであろう。

博覧会の開催までわずか六か月しかない。さらに付け加えるなら、この申請は京都市参事会から京都府知事へなされたものだが、当時の京都市長は府知事が兼ねており、市政執行機関であった京都市参事会の代表は府知事だった。だから、申請書は当時の京都府知事千田貞暁が京都市参事会名義で、京都府知事の自分自身に宛てて出されている。博覧会開催の半年前に、形式上とはいえ京都府知事が自分で自分に申請するわけだから、書類提出前には関係者間で事前調整も行われていたはずだ。これは承認が前提で進められていた手続きと考えるのが自然だろう。

ところが、一〇月二四日に払い下げ願いは不承認となった。天皇陵などを管理する宮内省諸陵寮に「支障ノ有無」を問い合わせたところ、「御陵墓取調中」であり「陵墓」として指定の可能性があるというのがその理由である。知事は自身の署名を添えて「書面願之趣聞届難シ」と回答した。滑稽にも、京都府知事は、参事会代表として京都府知事である自分自身に鵺塚の払い下げを申請し、京都府知事としてその申請を却下することになったわけだ。博覧会開催まで五か月のタイミングである。想定外の事態だったに違いあるまい。

そして、一八九四年一月六日付けで宮内大臣から京都府に鵺塚など内国勧業博覧会場にあった三つの塚を「御陵墓伝説地」と指定するので、土地を宮内省諸陵寮へ引き渡すようにと通達が出された（「官省達」京都府立京都学・歴彩館蔵「京都府庁文書」明二七―〇〇〇三)。このように事態が急展開した背景には何があったのだろうか。

三　「鵜塚」保存の背景

宮内省が鵜塚ほか三つの塚を「御陵墓伝説地」、すなわち皇族を埋葬したという伝説所在地と認定した根拠はあったのか。一九五六年、宮内庁陵墓課の見解によれば「鵜塚・秘塚は夫々後高倉天皇陵・尊称皇后利子内親王陵」の可能性があるとして「陵墓参考地に指定」したが、当時の書類は関東大震災で焼失しており詳細不明とする。そのうえで、宮内庁は被葬者に比定された二人は近くで火葬されたことは間違いなく、「土地の所伝によって指定したものと思われる」とある（末永雅雄　一九五六：「備考」）。

しかしながら、ここまで見てきたような経緯から、そう考えることは難しいだろう。地元にはとりたてて伝承もなく、だからこそ京都市参事会は「別段由緒等モ無之趣」といって塚の払い下げを願い出たのだ。

そこで、あらためて公式記録『平安遷都紀念祭紀事』を見ると、次のような記事が確認できた。

> 数百年来ノ古墳ヲ夷滅スルハ甚ダ憎ムヘキヲ以テ、明治二十六年十月六日土方宮内大臣臨検ノ時、千田府知事・内貴委員長・協賛会幹事等之ヲ案内シテ当地ヲ調査セシカ委員碓井小三郎ヨリ其保存ヲ要スル事実ヲ述ヘ希望ヲ陳シタリ、諸氏皆之ヲ可トシ市参事会・協賛会ヨリ農商務省・諸陵寮ニ交渉シ調査ノ上陵墓参考地トシテ保存スル事ニ決シ（下略）

京都市参事会から京都府知事へ鵜塚の払い下げを願い出たのが一八九三年の一〇月三日だが、三日後の一〇月六日に宮内大臣土方久元《ひじかたひさもと》の現地調査があり、千田京都府知事、内貴甚三郎《ないきじんざぶろう》平安遷都紀念祭委員長、紀念祭協賛会幹事らが案内をしていた。数百年にわたって存続している古墳を破壊するのは不適切だと誰もが考えていて、現地を訪れた宮内大臣に説明をして、全員一致（「諸氏皆之ヲ可」）で保存に向けての働きかけをしたかのように書かれている。しかし、これは事後の報告書なので、事実を歪曲している可能性が高い。京都市参事会などは鵜塚の払い下げを求めていたのだから、保存を望んでなどなかったはずだ。

ここで重要な役割を果たしたのが碓井小三郎《うすいこさぶろう》であった。碓井は、京都市議になっており、紀念祭の京都市委員として出席していたのだろう。記事を見れば、碓井がその場で宮内大臣に「保存ヲ要スル事実ヲ述ヘ希望ヲ陳シタ」ことで、保存が決定している。碓井のスタンドプレーで事態が大きく動いたことになる。

それでは、碓井はどのような理由で「保存ヲ要スル」と言ったのか。碓井小三郎は京都府・京都市会議員、糸物商工業会頭取を務めるなど、京都の政財界で活躍していたが、和歌や国学にも造詣が深く、京都の歴史を研究する史家としての顔を持っていた。彼の代表作に一九一六年に刊行された『京都坊目誌』がある。碓井が記した「鵜塚」、そして同時に宮内省の指定をうけた「姫塚」についての記述を見よう。

○姫塚　字西正地の東南隅にあり。〈二条通広道の北西〉五坪八合九勺の小地を存す。長方形にして稜《かど》あり。（中略）明治二十六年八月博覧会用地の為《た》め。京都市に買収せらるる時。由緒あるものと認め。尋で宮内省に引継ぐ。其後《そのご》陵墓伝説地として保存せらる。〈官有地一種〉此辺《このへん》法勝寺。最勝寺。尊勝寺。円覚寺等の址《あと》なり。（中略）姫塚は皇女皇妃の墓歟《か》。或は上記寺院の鎮守社壇の址なる歟。姫塚は秘塚《ひめつか》にして壇下に経巻などを秘して置きたる所歟。何れも漫《みだり》に断定し難しと雖《いえ》とも。凡《およ》そ想像するに近からん乎《か》

○鵺塚　字西正地姫塚の西北にあり（中略）此塚は秘塚と同じく古墳歟。又古寺院の遺存物なるべし。（『京都坊目誌』上京第廿七学区之部）

つまり、碓井小三郎は鵺塚と姫塚について、寺院に関連する史跡であると考えていたのである。「姫塚」は、呼称から「皇女皇妃の墓」の可能性も示唆するが、寺院と関わる可能性が高いと考えていたようだ。

さらに、驚くべきことだが宮内省による陵墓伝説地指定から、わずか二年後に書かれた京都市参事会による博覧会の公式記録『平安遷都紀念祭紀事』では、「鵺塚ハ西正地ニアリ西正地ハ蓋シ最勝寺ニテ其寺ノアリシ旧址ナルヘシ」とはっきりと書かれている。所在地名の「西正地」は「最勝寺」が訛ったもので、ここは最勝寺ゆかりの場所であろうというわけだ。

宮内省が認定した「後高倉天皇陵・尊称皇后利子内親王陵」とはまったく異なっており、そうした認識は、最初から碓井をはじめとした京都市側にはなかったことになる。碓井は宮内大臣に嘘をついたのだろうか。

考えられるのは、第四回内国勧業博覧会の準備が進むなかにあって、貴重な歴史的な遺跡が失われようとしている現実を目の当たりにした碓井が、現地調査に来た宮内大臣に対して、保存のための方便として、陵墓の可能性を示唆することで参考地の指定をうけ、その破壊を回避しようとしたということである。

むろん、六勝寺は白河天皇以降の天皇が御願寺として建立した寺院だから、宮内省に対して皇室ゆかりの史跡であることを訴えた可能性はあるが、それだけでは保存の決定打にはならない。開発を止めるには「陵墓伝説地」でなければならなかった。京都の歴史に関わる貴重な史跡が失われるか、保存されるかの瀬戸際だったから、碓井もいくらか陵墓の可能性を誇張して説明したかもしれない。しかし、本心では、白河に平安時代後期から室町時代にかけて営まれていた六勝寺とのかかわりが念頭にあったのである。

こうして、京都の近代化を象徴する第四回内国勧業博覧会の敷地内に「鵜塚」は保存されることになった。記念事業の一環として、「木柵ヲ設ケ盛土」をする整備が行われ、保存のための処置がとられただけでなく、塚を傷つけないように平安神宮などの建設地を変更するような措置さえとられたのである。

四　おわりに

碓井小三郎の尽力によって、破壊の危機をまぬがれた史跡「鵜塚」だが、「保存」が決定してから約半世紀の後、思いもかけない展開を遂げることになる。

京都市は、岡崎のグラウンド拡張工事のために「鵜塚」と近くの姫塚の指定解除を宮内庁に要請した。その結果、一九五五年に陵墓参考地指定は解除され、発掘のうえで「移葬」されたのである（外池昇　二〇〇五）。その後、同所に京都市が地下駐車場を建設することになり、一九九一年秋から再調査が実施され、すでに取り壊されている「鵜塚」の場所には二基の古墳があったことが明らかになった（丸川義広　一九九六）。

（二〇二一年一二月二五日脱稿）

〔参考文献〕

小林丈広『明治維新と京都―公家社会の解体―』臨川書店、一九九八年
末永雅雄「陵墓参考地：鵜塚・秘塚の調査」『書陵部紀要』第六号、一九五六年
外池昇『事典陵墓参考地―もうひとつの天皇陵―』吉川弘文館、二〇〇五年
丸川義広「「鵜塚」古墳の検出と岡崎御幸の道筋」『京都市埋蔵文化財研究所研究紀要』第三号、一九九六年

第13章

奈良から見る昭和戦前・戦時期の観光の姿

森川《もりかわ》　正則《まさのり》

一　ある一枚の観光案内図の紹介——どこ（誰）が、いつ発行したものか？

令和の今、国（政府）や地方自治体（都道府県・市町村）が観光振興を政策として推進することは、当たり前の姿になっている。このような姿は、日本の近現代史のなかで、いつ頃から現れるのだろうか。また、当たり前といっても、観光振興がはかられる理由・狙いには、時期・年代によって違いがあるかもしれない。

さて、ここに載せたのは、筆者が古書店で購入した昭和初期の「奈良観光案内図」「奈良付近観光案内図」（図1）

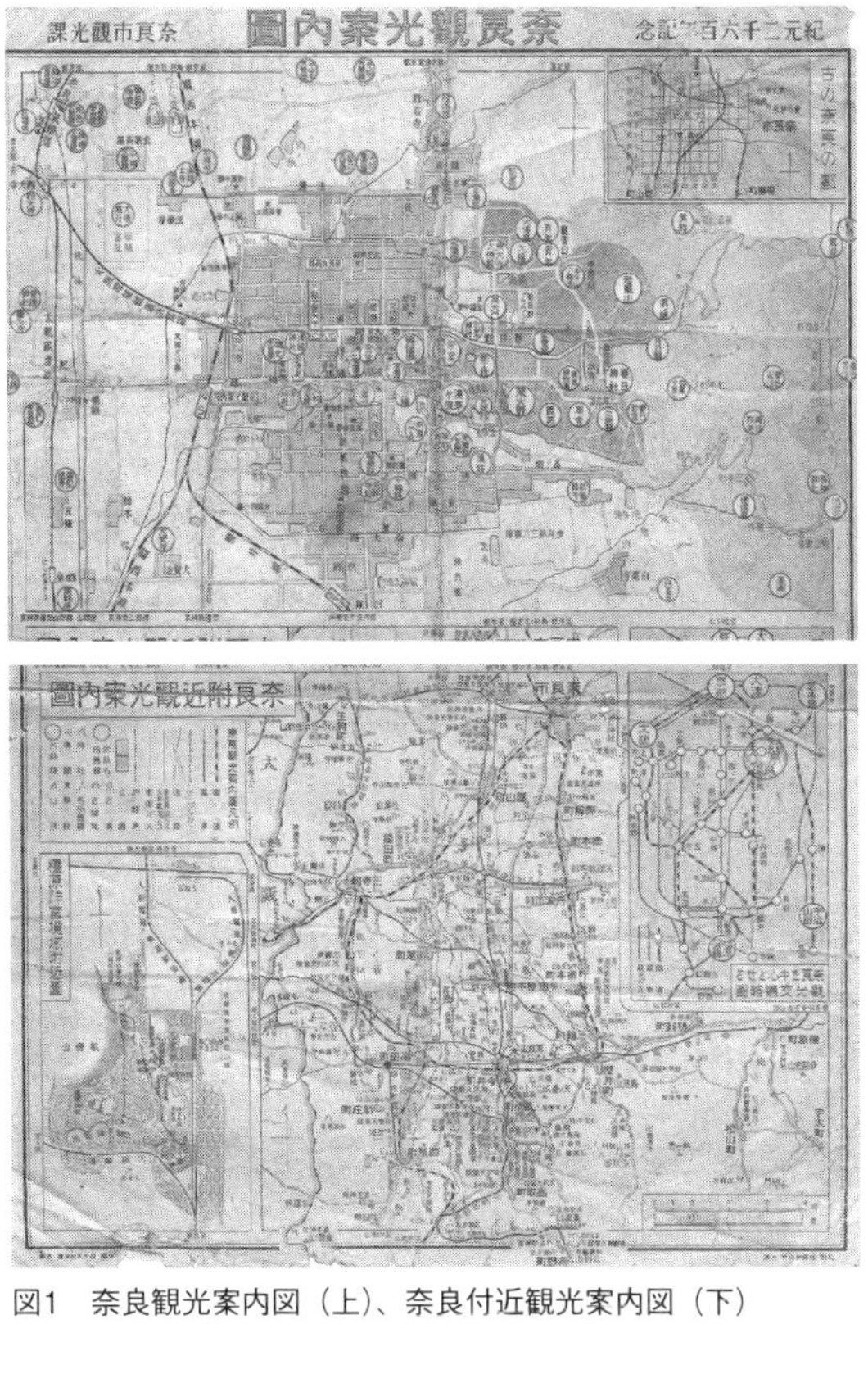

図1　奈良観光案内図（上）、奈良付近観光案内図（下）

で、現物は一枚ものである。地図の上半分が「奈良観光案内図」で、奈良市中心部と周辺を対象としている。平城宮址・大極殿址をはじめ、今に至るまで観光地として名高い史跡・寺社仏閣などが示されている。下半分の「奈良付近観光案内図」は、もう少し広域の地図で、左下には「橿原神宮境域付近図」が別に載っている。また、右上には「奈良を中心とせる観光交通略図」もある。

この地図を発行したのは、奈良市観光課である。奈良市では一九三一年一二月に市役所の組織改革で産業観光課がつくられ、三四年四月に観光課として分離されている。奈良県では市より少し遅れて、一九三七年一月に県庁の総務部に観光課を設置した（奈良市史編集審議会編 一九九五）。実は、昭和初期の一九三〇年代には、国や他の都市でも観光政策をになう組織を設けている。国レベルでは一九三〇年四月に鉄道省（のちに運輸省、現・国土交通省）の外局として国際観光局が、京都市では同年五月に市役所に観光課がつくられた（京都市政史編さん委員会編 二〇〇九）。

では、どうして、この時期に観光政策を担う組織づくり、いいかえれば、観光振興が積極化しているのか。大きな背景としてあったのは、世界恐慌（昭和恐慌）であろう。破滅的といえる不況からの脱出を求めて、つまり、経済・産業政策の一環として観光振興がはかられたと考えられ、令和の今にも通じることである。しかし、その後しばらくすると、観光は今とはまったく異なる姿も見せていく。

二　観光が「精動運動」の一環となっていく――日中戦争の勃発・拡大のなかで

一九三八年一月、『観光の大和』という雑誌が創刊された。発行したのは、奈良県観光連合会という団体である。『観光の大和』第一巻第一号の六一頁を見ると、発行所は「奈良県総務部観光課内 奈良県観光連合会」とある。六四頁には「奈良県観光連合会会則」が載っている。いくつかの条文を拾い出してみよう。

第一条　本会ハ建国大和ノ史蹟ヲ宣揚シ以テ国民精神作興ニ資シ併テ県下観光地ノ宣伝及観光施設ノ連絡統制ヲ計ルヲ以テ目的トス
第二条　本会ハ奈良県観光連合会ト称シ事務所ヲ奈良県庁内ニ置ク
第十条　会長ハ奈良県知事ヲ副会長ハ同総務部長ヲ推薦ス
第四条（二）正会員　観光地ニ関係アル市町村及団体、観光関係事業者ニシテ理事会ノ推薦ニヨリ会長之ヲ承認シタルモノ

先に述べたとおり、奈良県では一九三七年一月に県庁総務部に観光課が設置されており、そこに奈良県観光連合会の事務所が置かれていた。事務所が置かれた場所と会則第十条をふまえれば、県の主導で結成・運営された団体であることがうかがえよう。そして、会則の第一条を見てほしい。「建国大和ノ史蹟ヲ宣揚《せんよう》」「国民精神作興《さっこう》」といった文言は、今の私たちの耳には、ずいぶんと物々しい響きがするのではないか。さらに、奈良大学図書館所蔵の『観光の大和』第一巻第一号の裏表紙に手書きで記されている言葉が目を引く。「国民精神総動員　奈良県観光連合会」とある。「国民精神総動員」とは、国民精神作興とほぼ同じ意味と捉えてもらってよい。これは一体何かというと、一九三七年六月に成立した第一次近衛文麿内閣のもと、政府が推進・展開した運動で、略して精動運動という。

近衛内閣成立から約一か月後の七月七日、中国（中華民国）の北平《ペイピン》（北京《ペキン》）郊外の盧溝橋で、日本軍と中国軍との小競り合いが起こった（そもそも、どうして北京郊外に日本軍がいたのだろうか）。現地ではいったん、停戦協定が成立したが、近衛内閣は現地への増派を決定し、戦線は拡大して全面戦争になっていった。すなわち、日

中戦争である。国民精神総動員とは、日中戦争の勃発・拡大にともない、広く国民大衆を戦争協力へ動員するために展開された様々な運動をいう。

ここで、奈良県『国民精神総動員実施概要（第二輯）』という文献史料を紹介したい。一九三八年四月から九月までの間、奈良県下でおこなわれた精動運動の概要をまとめたものである。このなかに「各種団体に於ける実施事項」という項目があり、奈良県観光連合会の取り組みについて次のように記す。

本会は昭和十三年四月十八日より同月二十四日まで国民精神総動員の趣旨に順応し「観光報国週間」を左記要項実施し「国土愛護、公徳強調、心身鍛錬」に資する所多大なりき。

観光もまた、精動運動の一環となっていることがうかがえる。観光による「報国」をうたうとともに、「国土愛護」「公徳強調」「心身鍛錬」にも資するという。令和の今に生きる私たちが「観光」と聞いて、このようなことと結びつけてイメージすることは、ほとんどないだろう。

では、「観光報国週間」の名のもと、奈良県観光連合会ではどんな取り組みをしていたかというと、「一、参拝並に美化デー」「二、講演及映画会」「三、座談会」「四、印刷物等頒布」「五、懸賞作文募集」という五つの事項が挙がっている。そのうち、「四、印刷物等頒布」では、「省線奈良駅及大軌奈良駅頭に「美化せよ国土、体位向上銃後の備へ」の標語記載の吊幕掲揚」とある。省線《しょうせん》とは鉄道省管轄の鉄道路線で、昭和戦後の国鉄（日本国有鉄道）で現・JR、大軌《だいき》とは大阪電気軌道という鉄道会社の略称で、現・近鉄（近畿日本鉄道）である。銃後とは、戦場（前線）と対比される言葉で、戦時下の国内のことを指す。「体位向上銃後の備へ」といった標語を掲げる吊幕掲揚を、奈良県観光連合会が担っていたところに、日中戦争の勃発・拡大後における観光振興、すなわち、精動運動としての姿が表れているといえよう。他にも、県観光連合会による取り組みの一つとして、次のことも記されている。

同年六月十日吉野、熊野国立公園の勝景を広く一般民衆に紹介し併せて国民の心身鍛錬、体位の向上を計る目的を以て同公園を背景とする優秀なるポスター「登れ吉野群山」二千五百枚を作製し、左の通り配布し大いに国民精神総動員趣旨の順応に努めたり。

奈良県南部に位置する吉野は、中世（一四世紀）の日本で南朝と北朝の対立が深まるなか、南朝の後醍醐天皇が京都から逃れてきた地として知られる。この地を広く紹介するとともに、「登れ吉野群山」というポスターを作製し、配布したという（配布先は大軌など）。「登れ吉野群山」は、「心身鍛錬」「体位の向上」の呼びかけに他ならない。

また、ちょうど同じ頃の一九三八年六月、『吉野朝忠臣の遺蹟』と題する書物が発行されている。編集・発行したのは、国レベルで観光政策を担っていた鉄道省である。この書物の「はしがき」では、「本書は国民精神総動員に対応し、吉野朝の忠臣に関する遺蹟を列記し、国民精神作興の一助にせんとする」と記し、後醍醐天皇の「忠臣」だったとされる人物ごとに、ゆかりの史蹟を列挙・紹介している（一例を挙げれば、楠木正成と湊川神社）。

ところで、明治末期から南朝のことを「吉野の朝廷」と呼称するようになった（千葉功 二〇二三）。その後、日中戦争下で「国民精神総動員に対応し」「国民精神作興の一助にせん」ため、どうして、「吉野朝の忠臣」ゆかりの史蹟が観光地としてクローズアップされたのだろうか。紙幅の関係で詳述することはできないが、読者の皆さんには、南朝が「吉野の朝廷」と称された理由とあわせて、考えてみてほしい。

三　「物見遊山ではない」？――精動運動から紀元二六〇〇年奉祝へ

雑誌『観光の大和』第一巻第一号には、奈良県知事で県観光連合会長だった三島誠也が、「建国精神の理解と宣揚　大和を再認識せよ」と題する文章を寄せ、次のように述べている。

> 大和《やまと》は国の始である。神武《じんむ》天皇建国の礎を築かせ給《たま》ひし時、畝傍橿原《うねびかしはら》の地を卜《ぼく》して宮居を営ませられて人皇第一代の帝位に即《つ》かせられ、茲《ここ》に八紘一宇《はっこういちう》を理想とする大日本帝国が生れ出れたのである。（中略）光輝ある二千六百年の聖典を迎えるに当り、吾れ人と共に大和を訪れ、親しく日本歴史の根幹に触れて見度い。

読者の皆さんのなかにはご存じの方も多いかもしれないが、『日本書紀』（七二〇年完成）で初代天皇とされているのが神武天皇（天照大神《あまてらすおおみかみ》の子孫である神日本磐余彦尊《かむやまといわれひこのみこと》）で、紀元前六六〇年に畝傍橿原の地で即位したとされている。明治維新期の一八七二年に定められた紀年法に基づき、昭和戦時期まで、紀元前六六〇年を「建国元年」とした暦の数え方を「紀元（皇紀）」といった。紀年法に従えば、西暦一九四〇年が「紀元二六〇〇年」にあたり、国民精神総動員とも関連づける形で国を挙げて奉祝する気運が高まっていた。ちなみに、紀元二六〇〇年の国家的奉祝イベントとして開催予定だったのが、結果的に幻に消えた東京オリンピックと万国博覧会である（古川隆久　一九九八、ケネス・J・ルオフ　二〇一〇）。

このような気運のなか、神武天皇を祭る橿原神宮のある奈良県では、県観光連合会会長を務める知事が「大和を訪れ、親しく日本歴史の根幹に触れて見度い」とアピールしていたわけである。冒頭に載せた観光案内図も、「紀元二千六百年記念」と銘打たれたものである。

では最後に、奈良県総務部長であった八田三郎が『観光の大和』第一巻第一号に寄せた「活路はこゝに　銃後に栄あり　聖地の観光」の一部分も紹介しておこう。このなかで八田は、「私は思ひますのに時局柄観光を遠慮するといふのは非常な間違であつて、むしろかゝる際に進んで奈良県の観光の特異性を宣伝し認識せしむることが銃後の務として肝要であると信じます」とし、次のように断じている。

奈良県を目指して来る観光客は単なる物見遊山に来るのではありません。

今の私たちからすると、かなり面食らってしまう一文ではなかろうか。「物見遊山」、つまり、自由で気ままな余暇の楽しみではなく、「銃後の務《つとめ》」とされたのが、昭和戦時期における観光の一面であった。とはいえ、実際に奈良観光に訪れた人びとは、果たしてどこまで、国民精神総動員に順応しようとし、銃後の務めとして受けとめていたのだろう。そして、紀元二六〇〇年であった一九四〇年を経た後の観光の姿は、どうなっていったのか。対米英開戦により、日中戦争がアジア・太平洋戦争へと拡大していったのは、翌年一二月のことである。

〔参考文献〕

京都市政史編さん委員会編『京都市政史　第一巻　市政の形成』京都市、二〇〇九年
ケネス・J・ルオフ『紀元二千六百年―消費と観光のナショナリズム―』木村剛久訳、朝日新聞出版、二〇一〇年
千葉功『南北朝正閏問題―歴史をめぐる明治末の政争―』筑摩書房、二〇二三年
奈良市史編集審議会編『奈良市史 通史四』奈良市、一九九五年
古川隆久『皇紀・万博・オリンピック―皇室ブランドと経済発展―』中央公論社、一九九八年

〈著者紹介〉

〈掲載順〉

木下《きのした》 光生《みつお》

奈良大学教授。日本近世史担当。福岡県生まれ。大阪大学大学院文学研究科博士後期課程修了。博士（文学）。
主な業績 『貧困と自己責任の近世日本史』（人文書院、二〇一七年）

渡辺《わたなべ》 晃宏《あきひろ》

奈良大学教授。日本古代史担当。東京都生まれ。東京大学大学院人文科学研究科博士課程単位取得退学。
主な業績 『日本の歴史04 平城京と木簡の世紀』（講談社学術文庫、二〇〇九年）

山崎《やまざき》 岳《たけし》

奈良大学教授。東アジア史担当。神奈川県生まれ。京都大学大学院文学研究科博士後期課程修了。博士（文学）。
主な業績 「アジア海域における近世的国際秩序の形成」『岩波講座世界歴史』一一（岩波書店、二〇二二年）

川本《かわもと》 正知《まさとも》

元奈良大学教授、現奈良大学特別研究員。中央・西アジア史担当。高知県生まれ。京都大学大学院文学研究科博士後期課程修了。博士（文学）。
主な業績 『モンゴル帝国の軍隊と戦争』（山川出版社、二〇一三年）

宮本《みやもと》 亮一《りょういち》

奈良大学准教授。中央アジア史担当。大阪府生まれ。龍谷大学大学院文学研究科博士後期課程修了。博士（文学）。
主な業績 「前イスラーム時代における中央アジア勢力の南アジア進出」『アジア人物史』一（集英社、二〇二三年）

〈著者紹介〉

〈掲載順〉

足立《あだち》　広明《ひろあき》

奈良大学教授。西洋古代・中世史担当。兵庫県生まれ。同志社大学大学院文学研究科博士後期課程修了。
主な業績　「グローバル・ヒストリーとしての古代末期」『多元的中華世界の形成』（臨川書店、二〇二三年）

山口《やまぐち》　育人《いくと》

奈良大学教授。西洋近現代史担当。大阪府生まれ。京都大学大学院文学研究科博士後期課程修了。博士（文学）。
主な業績　「イギリス帝国からのコモンウェルスへの移行と戦後国際秩序」『グローバル・ガバナンス学』Ⅰ（法律文化社、二〇一八年）

高橋《たかはし》　博子《ひろこ》

奈良大学教授。環太平洋史担当。兵庫県生まれ。同志社大学大学院文学研究科博士後期課程修了。博士（文化史学）。
主な業績　『新訂増補版　封印されたヒロシマ・ナガサキ』（凱風社、二〇一二年）

外岡慎一郎《とのおかしんいちろう》

奈良大学教授。日本中世史担当。神奈川県生まれ。中央大学大学院文学研究科博士後期課程単位取得満期退学。博士（史学）。
主な業績　『「関ケ原」を読む―戦国武将の手紙―』（同成社、二〇一八年）

河内《かわうち》　将芳《まさよし》

奈良大学教授。日本中世・近世文化史担当。大阪府生まれ。京都大学大学院人間・環境学研究科博士課程修了。博士（人間・環境学）。
主な業績　『秀吉没後の豊臣と徳川』（淡交社、二〇二三年）

〈著者紹介〉

〈掲載順〉

井岡《いおか》　康時《やすとき》

奈良大学教授。日本近代史担当。奈良県生まれ。京都大学文学部史学科卒業。
主な業績　「奈良市東木辻町の貸座敷経営をめぐる諸課題」（『奈良史学』四〇、二〇二三年）

村上《むらかみ》　紀夫《のりお》

奈良大学教授。日本近世・近代文化史担当。愛媛県生まれ。大谷大学大学院文学研究科博士後期課程中退。博士（文学）。
主な業績　『怪異と妖怪のメディア史』（創元社、二〇二三年）

森川《もりかわ》　正則《まさのり》

奈良大学准教授。日本現代史担当。富山県生まれ。大阪大学大学院法学研究科博士後期課程単位取得退学。博士（法学）。
主な業績　『ハンドブック近代日本外交史』〔共著〕（ミネルヴァ書房、二〇一六年）

〈編者紹介〉

奈良大学
NARA UNIVERSITY
〒631-8502 奈良市山陵町1500
TEL.0742-44-1251 FAX.0742-41-0650
http://www.nara-u.ac.jp

◆文学部　国文学科　史学科　地理学科　文化財学科
◆社会学部　心理学科　総合社会学科
◆通信教育部　文化財歴史学科
◆大学院　文学研究科　社会学研究科

奈良大ブックレット12

史料から広がる世界
奈良から世界へ 過去から未来へ

二〇二四年六月六日　初版第一刷発行

編　者　学校法人 奈良大学
監　修　奈良大学文学部史学科
著　者　木下光生／渡辺晃宏／山崎　岳／川本正知／宮本亮一／足立広明／山口育人／高橋博子／外岡慎一郎／河内将芳／井岡康時／村上紀夫／森川正則〈掲載順〉
発行者　中西　良
発行所　株式会社ナカニシヤ出版
〒六〇六-八一六一　京都市左京区一乗寺木ノ本町一五番地
電話（〇七五）七二三-〇一一一
ファックス（〇七五）七二三-〇〇九五
振替　〇一〇三〇-〇-一三一二八
URL https://www.nakanishiya.co.jp/
e-mail iihon-ippai@nakanishiya.co.jp
印刷・製本　共同精版印刷株式会社
装幀　河野　綾／編集　石崎雄高

ISBN978-4-7795-1807-2 C0320 ©2024 Nara University

奈良大ブックレット発刊の辞

市川　良哉

時代が大きく変わっていく。この思いを深める。少子高齢化は社会の在り方や個人の生活を変えていく。情報の技術的な進歩が人とのコミュニケーションの在り方を激変させている。人はどう生きるべきかという規範を見失ったかに見える。地震や津波などの自然災害、殊に原発事故の放射能汚染は生命を脅かしている。こうしたことの中に将来への危惧にも似た不安を覚える。

不安はより根本的な人間の気分を意味するという。こうした気分は人の内面に深く浸透していく。不安にさらされながらも、新しい時代に相応しい人としての生き方こそが求められなければならない。そうしたとき、人は自らの生き方を選択し、決断していかなければならない。孤独な生を実感する。そこでも、われわれはこのような生き方でいいのだろうかと大きな不安を抱く。

不易流行という言葉はもと芭蕉の俳諧用語で、不易は詩的生命の永遠性をいい、流行は詩の時々におけるはやりをいう。ここから、この語はいつの時代にも変わる面と同時に、変わらない面との、二つをもっていることを意味する。

変化する面は措《お》くとして、歴史とは何か。文化とは何か。人間とは何か。人間らしい生き方とは。平和とは何か。人間や世界にかかわるこの問いは不変である。不安な時代の中で、われわれはこの根源的な問いを掲げて、ささやかながらも歴史を、文化を、人間を追求していきたい。そうした営みの中で、人の生き方を考える道筋を求め、社会を照らす光を見出していきたい。

奈良大ブックレットは若い人たちを念頭においた。平易な言葉で記述することを心がけ、本学の知的人的資源を活用して歴史、文化、社会、人間について取り上げる。小さなテーマに見えて実は大きな課題を提起し、参考に供したいと念願する。

二〇一二年一〇月